「東京の中古ワンルーム」で
経済的自由を実現する方法

不動産投資

が気になったら
はじめに読む本

重吉勉
Tsutomu Shigeyoshi

金風舎

はじめに

収入の複線化「ひとりダブルインカム」の時代がやってきた

給与とは別の収入源を作ることは、あなたの人生の選択肢を増やしてくれます。

毎月20万円の不労収入を作ることは、決して夢物語ではなく、コツコツと資産形成にむけて努力を続けられる人であれば十分可能な「計画」です。

むしろ、コロナ禍によって雇用や収入が不安定ないまだからこそ「計画」を実行して、サラリーマンとしての給与だけに頼らない状況を作り出す必要があるのです。

2013年9月に東京でのオリンピック開催が決定したとき、だれがいまの状況を予測できたでしょうか。経済活動の起爆剤として期待されていた東京オリンピックも昨年から続く新型コロナウイルスの感染拡大によって尻つぼみ。景気が拡大するどころか、新型コロナウイルスの影響で飲食業や旅行業を中心に給与のカット、リストラは加速。安心して働ける環境は年を追うごとに失われています。

会社自体も社員の終身雇用を維持することは困難であることをほぼ認めています。いま副業がブームになっていますが、いいかえれば、これは会社がこれ以上社員の生活に責任を持てなくなった証でもあります。あのトヨタ自動車であっても「終身雇用を守っていくことは難しい局面にはいってきた」と明言しています。日本を代表する企業のトヨタでさえそうなのであれば、どんな大企業であっても、入ってしまえば生涯安泰ということはありません。

しかも、数年前には老後2000万円問題が話題になったように、いまの生活だけではなく、将来の老後生活も明るい展望が抱けていないのが現状です。

ではこんな時、あなたに給料とは別に毎月20万円の収入があれば、どれだけ精神的な余裕を持てるでしょうか。

先行き不透明ななかで会社からの給与だけに頼っているのであれば、不安になるのも無理はありません。

ひとつの収入源に頼っているから、不安は解消されないのです。

ひとつの収入源に頼っているから、ストレスも増えていくのです。

会社の給与だけでなく、別の収入源があれば、こうした厳しい環境下であっても、将来に対して明るい展望が開け、ストレスフリーな生活を送ることもできるのです。

これからのわたしたちに必要なものは、ひとりで複数の収入源を持つこと。

いわばひとりダブルインカムです。

収入源を作るのには「投資」を行うことが最も一般的ですが、あせって手を出してしまうと取り返しのつかない失敗を招くことになります。

不動産投資では、不正融資に揺れた「スルガ問題」、女性向けのシェアアパート「かぼちゃの馬車事件」は、まさにその代表格です。いくら収入源を作ることが重要だといっても、一足飛びに多額の借金をしてアパート経営で経済的自由を確立しようとすると、失敗する可能性がぐんと高くなります。

2017年に出版した拙著「低金利時代の不動産投資で成功する人、失敗する人」（かんき出版）では、こうした多額の借入れを利用した地方アパート経営に警鐘を鳴らしました。実際に、その1年後にスルガやかぼちゃの馬車の問題が発生しています。

誤ったやり方で実施してしまうと、本来、生活を安定化するはずの収入の複線化がかえって本来の生活をおびやかすことになりかねません。

必要なものは、だれもが堅実に「ひとりダブルインカム」を実現し、将来の老後の問題を解決するだけでなく、ストレスフリーな生活をもたらしてくれる堅実な投資法です。

なにも難しいことはありません。投資法は至ってシンプルです。

「東京・中古・ワンルーム × 繰上げ返済」

それは、東京23区内の最寄り駅から徒歩10分以内のワンルームマンションに投資をして、ローンの繰上げ返済を続けるというものです。会社を創業して以来、30年以上にわたってこの投資法をお伝えし続けていますが、多くの方が経済的自由を実現されています。

今年の6月にわたしの会社のオーナー様に対して「不動産投資とFIRE（経済的自立と早期退職）」をテーマにしたアンケート調査を実施しました。

その結果、7人に1人が「家賃収入が生活費を上回る経済的自由」を実現していると回答されました。しかも、不動産投資を始めて平均して13年で経済的自由を実現しているのです。

ＦＸや暗号通貨、株式投資やアパート経営ではわずか数年で1億円を超える資産をつくったという景気のよい話をよく目にしますが、わたしたちは短期間で達成できることを過大評価して、長期にわたって成し遂げることを過小評価しがちです。短期で多額の利益をあげられるということは、それだけリスクも大きいということです。

一方で、わたしがおすすめする**「東京・中古・ワンルーム×繰上げ返済」は短期で経済的自由を実現できるものではありません。ただ、空室になったとしても、すぐに次の入居者が見つかる確かな物件を購入して、コツコツと地道に繰上げ返済を続けていけば、着実に経済的自由に近づいていきます。実際、多くの方がこうして資産を築いているのです。**

13年で経済的自由を実現できるのなら、13年前のあなた自身にどのようなアドバイスを送るでしょうか。

「いますぐに不動産投資をはじめよう」

きっとあなた自身の手を取って、このように言うのではないでしょうか。
この書籍を手に取ったいまがまさにその瞬間です。

いまあなたが目の前の仕事や人間関係で消耗していたり、将来の老後の生活に明るい未来が描けていなかったとしても、給与以外の確かな収入源を築くことができれば、金銭的にも精神的にもゆとりある人生を送ることができるはずです。

家賃収入があれば、あなたの本当にやりたい仕事に就くことも、起業をすることもできます。

人間関係で疲れているのであれば、まったく新しい職場で再チャレンジすることもできるでしょう。ボランティアを通じて社会課題に対して取り組んでもよいでしょうし、家族との時間をたっぷりとることもできます。

複数の収入源を持つこと、「ひとりダブルインカム」を実現することで、いわば人生の選択肢を増やすことができるのです。

本書でお伝えしたいのは、単なる不動産投資の手法ではありません。確かな不動産投資法を実践した先で、あなた自身の人生の選択肢を増やせるということを知っていただきたいと思い、筆を取りました。

この書籍を手に取ったことで、10年後、20年後にあなたらしい人生を送ることができるようになるのであれば、これほど嬉しいことはありません。ぜひ書籍の最後までお付き合いいただければ幸いです。

2021年9月　重吉　勉

目次

第2章 いまも昔も変わらない　不動産投資は東京の中古ワンルーム投資がいちばん！

第3章 五輪後もまだまだ止まらない！不動産投資は進化し続ける東京を買え！

第4章

不動産投資で成功するための中古ワンルームの選び方

第5章

不動産投資の成功の法則「レバレッジの黄金率」を活かせ！

第6章 空室、滞納だけじゃない！ 不動産投資の8大リスクと解決法

第7章

物件選びと同じくらい重要！ 賃貸管理会社の選び方

第8章

不動産投資と税金これだけは覚えておこう

第9章 今こそ東京の中古ワンルームで不動産投資を始めよう！

第 1 章

将来の不安を解消したいなら
お金を貯めてはいけない！

1-1

貯金をしているから将来の不安はいつまでたっても解消されない

将来のために毎月の給料からコツコツと貯金をして備えている方も多いかもしれません。リストラや給与の減額、会社の倒産、老後問題。将来に備えようとするとお金はいくらあっても足りない気さえしてきます。

ただ、残念ながら毎月コツコツと貯金を続けていたとしても、将来の不安が解消されることはありません。想像してみてください。もし、いまあなたの手元に2000万円の貯金があるからといって、それだけで会社を辞めて暮らしていけるでしょうか。老後を豊かに過ごしていけると思えるでしょうか。

では、なぜ真面目に貯金をしている人ほど、将来の不安をいつまでも払拭することができないのか。

それは、貯金は「資金」であって「資産」ではないからです。

資金はいくらあっても収入を生むことはありません。一方で、定期的に収入を生み出してくれるものが資産です。

たとえば、老後に備えていくら貯金をしたとしても、生活費として毎月取り崩していけばいつか底をついてしまいます。同じように脱サラして起業した場合、売上が安定してくるまで毎月のように貯金を取り崩していけば同じように、せっかくの貯金もいつかはなくなってしまいます。給与天引きで貯金を毎月行っているような堅実な方こそ、いざというときに備えて、貯金も使うことができないはずです。お金があっても使えないのは、次の収入が入ってくる見込みがないからです。減っていくだけのお金であれば、誰だってお金を使うことを躊躇してしまいます。

では、年金に加えて、毎月、安定してお金が入ってくる収入源があればどうでしょうか。毎月、毎月必ずお金が入ってくるのであれば、気兼ねなく使えます。

そうです！　豊かな老後を過ごすためには、お金を貯めることを目的にするのではなく、収入源をつくることを目的にすることが大切です。

お金を気兼ねなく使うためには、貯金を続けて使えない資金を貯めこんでいては不安を解消することはできないのです。

不安を解消するために必要なことは、資金を作ることではありません。収入源を作ることこそ必要不可欠です。

例えるなら、バケツに水を溜めるのではなく、水の出る蛇口をつくること。せっかくバケツにいっぱいの水を入れていたとしても、使えば減ってしまいます。万が一、バケツが倒れでもしたら、すべての水はなくなってしまいます。

一方で蛇口があれば、ひねれば水が出てきます。使い切ってしまっても、大丈夫。蛇口をひねればよいだけです。

2000万円貯めても老後問題は解決できない

数年前に巷を騒がせた「老後資金2000万円問題」。老後問題を国民に押し付けるのかと、大いに物議を呼びました。ただ、一方で2000万円さえ用意できれば老後の資金問題は解決できるのでしょうか。なかには、すでに2000万円以上の貯金があるから、収入源を作る必要がないという考えられる方もいるのではないでしょうか。ただ、問題は簡単ではありません。

「老後の必要資金」の目安は、2000万円とも3000万円とも言われ、専門家によって金額はバラバラです。その内訳は直近の統計から算出された単純なシミュレーションであることも多くあります。

この老後2000万円問題の発端となった金融庁のレポート自体、2017年時点の総務省「家計調査報告」から夫65歳以上、妻60歳以上の無職世帯の月の実収入額と実支出額を、単純に12か月×30年分、足し合わせたにすぎません。将来の年金受給額や物価の変動、生活必要コスト上昇の可能性は何も考慮されていないのです。

高収入世帯ほど要注意！　生活費を下げられないリスクも

しかも、ご家庭の生活水準によって、将来の希望する老後の生活像は異なります。

ニッセイ基礎研究所が公開している調査結果で、現役時代と同じ水準の暮らしをしようとする場合に、年金受給額に加えて自力でどれだけのお金が必要かを試算したデータがあります。

それによると、世帯割合として最も多い年収500万円〜750万円未満の世帯が最低限必要と考える生活費は年間358万円となっています。そこから年金による収入を差し引くと、自力で必要なお金は年間で約106万円。老後を30年間と捉えると、計約3200万円となります。

これが、世帯年収750万円～1000万円未満の場合は最低限必要な生活費が年間404万円で、30年間で必要なお金が計3650万円、さらに、世帯年収が1000万円～1200万円未満の場合はなんと、生活費が年間524万円で、必要なお金が計6550万円にまで跳ね上がるとされています。

夫婦共働き世帯の場合、世帯年収が1000万円を超えるケースもあるでしょう。現役時代の生活レベルを維持するだけでも、これだけのお金を準備する必要があるのです。もちろん、生活水準を落とせば、これほどの大金は必要ありませんが、一度経験した暮らしは簡単には変えられません。


「いくら貯めておけば安心」という一律の答えを出すのは極めて難しいのです。

だからこそ、「収入源」をつくることがなおさら必要になります。なぜなら、老後をどのような生活水準で暮らしていきたいのかを考えれば、年金に加えてあなた自身で用意しなければならない収入額がわかります。このとき、不足額が多額であればあるほど、現役時代に「貯金」で賄うことが難しくなります。

あなたのご家族の老後生活をイメージしてみてください。収入の頼りとなるのは２か月に１度の年金のみ、あとは自分たちの財産を切り崩すしかありません。貯金があるからといって簡単に取り崩して生活していけば、万が一、病気や介護になったとき、また思いがけず長生きしてしまったときのことを考えると、使うに使えないはずです。外食や旅行、いわゆる贅沢は控えて、つましく公的年金の範囲内で暮らしていくと思いませんか。

仮に貯金が１億円あっても同じです。１億円を取り崩していって、８０００万円になり、半分の５０００万円になり、残り２０００万円になった時、今まで通り同じようにお金を使えるでしょうか。

不足額が貯金ではなく、資産からの不労収入で補うことができれば、精神的な不安も少なく、老後の豊かな暮らしを心より楽しめるはずです。

1-2
年金減額・増税・定年延長・長寿化 アフターコロナに待ち受ける4つの危機

わたしがこれだけ収入源をつくることをあなたに強くおすすめしているのは、『年金減』『増税』『定年延長』『長寿化』という4つの危機が迫っているからです。

年金が増えても実質減　厳しさを増す公的年金制度

年金制度は数年ごとに大きな改正が繰り返され、制度が維持できるように整えられています。一方で、一個人にとってみれば受給額が実質的に減少するしくみが導入されることもあります。

例えば「マクロ経済スライド」です。マクロ経済スライドとは、年金制度の維持を目的として、年金額の伸び率を賃金上昇率や物価上昇率より低く抑える仕組みです。従来の年金受給額の決定方法では、物価や賃金の上昇に併せて、年金も上昇していました。例えば、物価が2％上昇すれば、同じように年金も2％増加していたのです。しかし、マクロ経済スライド導入後は、たとえ物価が2％上昇していたとしても、年金の上昇率は2％未満に抑えられてしまうのです。実際に、2015年度、2019年度、2020年度の年金額改定において、マクロ経済スライドは発動しています。

実際に2020年度の年金増加率を見ていきましょう。前年の物価上昇率は0・5％、過去3年間における名目の賃金変動率は0・3％です 従来であれば、このうち低い方が年金の伸び率に反映されていたので、賃金変動率の0・3％が採用され、年金も0・3％分だけ増えるはずでした。しかし、これがマクロ経済スライドの導入によって、年金の増加率は0・2％に抑えられたのです。

この1年だけで見れば、わずか0・1％の減少と感じるかもしれませんが、景気が回復して物価や賃金の上昇が続けば続くほど、この差は開いていくことになります。実際に使えるお金は目減りしてしまうことはあれど、増えることはないのです。

これは大変な問題です。現在、日銀はコロナ禍の経済を下支えするために、過去に例がないほどの金融緩和を行っています。黒田日銀総裁は物価上昇率2％になるまで金融緩和の手を休めることはないと明言していますし、2013年の安倍政権発足以降、この政策は継続されてきました。

つまり、将来のインフレを起こしますとはっきりと言っているのです。それにもかかわらず、年金はインフレには対応しきれていません。実質的には目減りしていくのです。これでは生活は苦しくなる一方です。

現役世代が減少する分を補うには増税しかない

日本の人口、特に年金制度を支える現役世代の人口はどんどん減りつつあります。高齢社会白書によれば、現状でも2人の現役世代で1人の高齢世代を支えている状態ですが、約30年後には現役世代1人で高齢世代1人を支える時代がやってきます。

加えて、基礎年金の財源も先行き不安です。基礎年金の給付額のうち、半分は現役世代により納付された年金、半分は国庫負担となっています。国庫というと聞こえがよいですが、政府が負担するのではなく、結局は国民から集めた税金で補填をしているのです。一定の支給額を維持していくためには、さまざまな形での増税は避けられない未来ともいえます。

増税といっても、消費税が８％から10％になる、といったわかりやすい増税だけではありません。これまでもあの手この手で、実質的な増税は行われてきているのです。例えば２０２０年から給与収入が８５０万円超の会社員は給与所得控除額の額が引き下げになりました。所得控除の減少は、課税対象となる所得の増加を意味しますので、これも増税の１つです。

老後が遠くなる!? 70歳現役時代が到来か

２０２１年４月より改正高年齢者雇用安定法、通称「70歳定年法」が施行されました。この法改正は、60歳＝定年という固定観念が消え、何歳であっても働ける人は働き続ける社会への変化を指し示しています。そもそも「老後」自体が遠くなりつつあるとも言えるでしょう。

以前より企業に65歳まで就業機会の確保が義務化されていたところ、法改正でこの年齢を70歳までに引き上げることが「努力義務」となりました。まだ努力義務とはなっていますが、政府が70歳まで働く社会を目指していることを明確に示すものです。今後は継続雇用の年齢上限を引き上げたり、定年自体を延ばす企業が多くなると専門家は予想しています。

年金受給までの空白期間がなくなったり、より長くいきいきと働ける環境が整えられるのでわたしたちにとって良い面もありますが、考えておくべき現実もあります。定年が5年延びれば、退職金を受け取るタイミングも5年先延ばしになります。退職金を見据えた資金計画を立てていた人は、再度考え直す必要が生じます。

退職金の平均金額自体も年々減少する一方です。厚生労働省の「就労条件総合調査」によれば20年以上勤務した大卒・大学院卒の定年退職者の退職金平均額は1997年には2871万円でした。ところがこの年以降、退職金の平均額は調査のたびに下がり続け、2018年には1788万円となっています。ピーク時から1000万円以上、下がっています。

また、70歳まで働けるといっても、これまでと同じ年収が得られるとは限りません。むしろ、給与収入のピークは定年よりずっと前に来るのが実状です。統計を見ても、日本の大企業・中規模企業における給与収入のピークは50代前半となっています。以降、ゆるやかに給与は下がり続けます。それを前提としたライフスタイルも考慮する必要があります。

何より、気力や体力そして健康面から見てずっと働けるのか、という問題もあります。社会全体では健康寿命はどんどん延びているとはいえ、歳をとればとるほど、病のリスクも高まります。

女性の2人に1人が90歳まで生きる時代

２０２０年、日本人の平均寿命は男性81・64歳、女性が87・74歳にまでなり、ともに過去最高を更新しました。女性は世界1位、男性は世界2位の長寿国家です。

しかし、この平均寿命の計算には、０歳〜20歳までになくなられたケースまで含めて計算しているので、意外に知られていませんが成人した人の余命はもっと長くなっているのです。

厚生労働省の令和2年簡易生命表では、後期高齢者と呼ばれる75歳で見ても、男性が75・85％、女性が88・22％の生存率です。男性は4人に3人、女性はなんと10人中9人が75歳まで生きる時代に突入しているのです。

さらに90歳まで長生きされる方は男性で27・18％、女性では51・12％にもなります。

つまり、男性でおよそ4人に1人、女性で2人に1人が90歳まで長生きする計算です。

医療の進歩によって寿命はどんどん延びていますから『90歳まで生きるのは当たり前』『100歳超えも珍しくない』という人生100年時代の到来はすぐそこです。

平均寿命をもとにお金を貯めたとしても、長生きすることができれば、お金は不足してしまうことになります。いつまで生きるのかが分からなければ、そのために備えるお金は必要です。だからこそ、老後のためにと貯めたお金はますます使えなくなってしまうのです。

1-3
安定した収入源には家賃収入が最適

安定した収入源をつくるために最も向いているのは不動産投資による家賃収入です。家賃収入は自分が働かなくても安定的に入ってくる不労所得だからです。

誰もが老後を迎えれば、いつまでも元気というわけにはいきません。また、あなたが病気にならなくても、家族の介護が必要になるかもしれません。

若い頃のように、仕事だけに集中することは難しいのが老後です。あなたが定年を迎えたときに、あと20年、生活のため現役と同じように働き続け、同じくらいの収入をもらい続ける自信はありますか？

それに対して、自分のために自分でつくる「自分年金」の〝しくみ〟があれば、自分の労力を使わなくてもよいのです。不労所得によって自分年金ができるのであれば、働けなくなったとしても収入が途絶えることはありません。

そのしくみは「不動産による家賃収入」です。あなたが休んでいるときも、会社を退職しても、不動産は24時間あなたのために働き続けてくれます。入居者が住んでいれば、ずっと家賃収入が入ってくるのです。

同じ投資でも株式投資の場合、いつ利益があがるかはわかりません。そもそも利益をあげられるかどうかも不透明です。株価が上下してストレスもかかるでしょう。安定収入ではないので、安心して生活設計もできません。しかし、家賃収入の場合は、毎月決まって収入が入ってくるため、生活資金として最適です。

公共料金の支払いをはじめ生活費は毎月かかってきます。定期収入さえあえれば支払いの計画が立てられますが、収入の波が激しければ生活が破たんしてしまうかもしれません。家賃収入のように安定した定期収入でなければ「自分年金」としてふさわしくありません。

安定した家賃収入だからこそ、資産づくりも計画的に行える

不動産に投資をして安定的に家賃収入を得られれば、その家賃収入を前提として、資産を増やしていくこともできます。家賃は毎月入ってくるので、1年後、2年後、5年後といった収入計画もかなり正確に立てることが可能です。

繰上返済の時期を見極めたり、家賃を次の物件に再投資する資金に充てたりなど、長期の視点で資産づくりができるのです。不動産投資であれば、安定して家賃収入が入ってくるので、資産づくりも計画的に行えます。

堅実に資産をつくりたい人こそ不動産投資が向いている

コツコツと堅実に老後のためにお金を貯めている人ほど、老後生活に困る可能性があるとお伝えしました。しかし、それは老後を乗り切るための準備を「資金づくり」にすべて費やしていたからです。資金づくりではなく収入源をつくることが目的であることがわかれば、あとは収入源づくりにまい進していけばよいのです。

その方向性が定まれば、堅実派の人にとって、不動産投資ほど最適で効果的な投資法はありません。これまで貯金していたお金を投資用マンションのローン返済に充てることで、毎月、家賃収入を生み出してくれるしくみを次々につくっていくことができます。

そして、その不動産投資の最終的なゴールは「経済的自由」を手に入れることです。

経済的自由とは、働かなくても入ってくる収入で毎月の生活費をすべてまかなえる状態のことをいいます。コツコツと地道に不動産投資で資産づくりを行っていけば、経済的自由を目指すことも夢ではないのです。

家賃収入を使って毎年海外旅行に行く、おいしい食事を家族で囲む、週末は友人や夫婦でゴルフを楽しむ。そのほか余裕資金がなくてできなかったことも、毎月安定して入ってくる家賃収入があれば、実現することができます。

7人に1人が経済的自由を実現

実際にわたしの会社のオーナーにも、わたしたちがすすめる不動産投資法を実践し、給料以上の家賃収入を得ている方や不動産管理法人をつくるまでになった女性、ご自身の不動産投資体験談をまとめた本を出版された方、さらに老後を待たずに勤め先を早期退職し、いわゆるＦＩＲＥ（Financial Independence, Retire Early）を実現して自分の好きな仕事をして暮らしている方などが何百人もいます。

わたしたちは、２０２１年６月にオーナー様向けのアンケート調査を行いました。その結果、回答者の14％、実に７人に１人が経済的自由を実現していることがわかりました。

回答者の7人に1人（14%）が「経済的自由」を実現

Q ズバリ、今あなたは経済的自由またはFIREを実現していますか？

実現している
7人に1人（14%）

- **実現している　14%（172名）**
- 実現していない　86%（1082名）

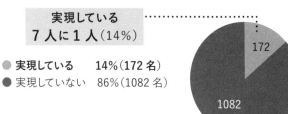

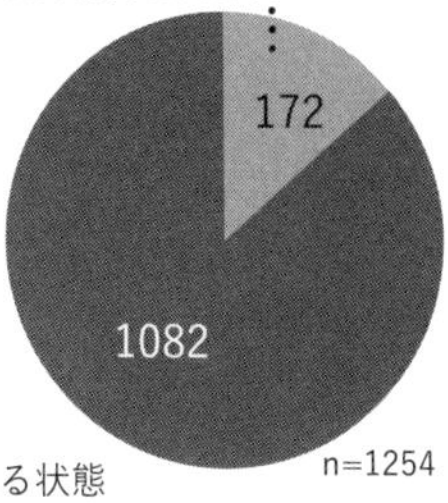

※調査において提示した定義
経済的自由…不労所得のみで日々の生活費を賄える状態
FIRE…上記のうえ、いわゆる早期退職（脱サラ）まで実行した状態

経済的自由実現者について

- **30代……4%（7名）**
- **40代……9%（16名）**
- **50代……27%（47名）**
- 60代……39%（66名）
- 70代……16%（28名）
- 80代……4%（7名）
- 90代……1%（1名）

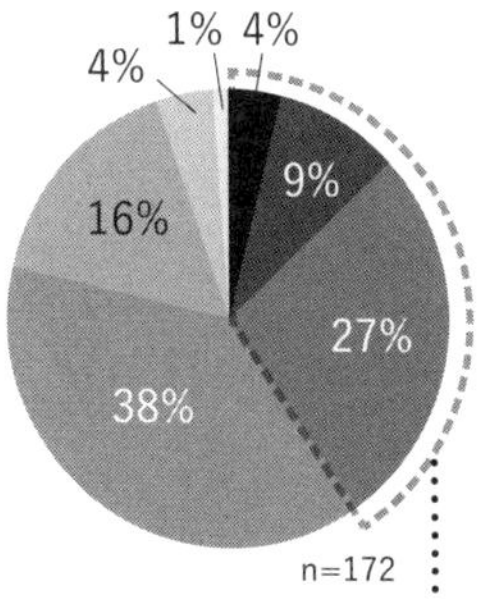

経済的自由達成者
4割が50代以下

←

このうち**過半数**が
FIREを実現

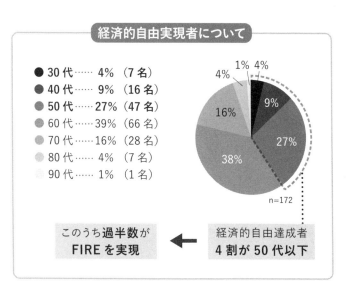

そのうちの約４割は50代以下でした。オーナー様のほとんどが、富裕層ではなく、一般のサラリーマンから不動産投資を始めて、資産を築いた方々です。老後を待たずに現役のうちから、経済的自由を手に入れることは決して夢物語ではありません。

経済的自由を実現したオーナー様の不動産投資歴は、平均13年でした。コツコツ堅実派のあなたが資産づくりの努力を収入源づくりに１００％振り分け、これからご紹介する不動産投資法で資産づくりを始めたとき、経済的自由への第一歩を踏み出すことができます。そして着実な歩みを10年、20年と継続していけば、労働に頼らない収入による豊かで自由な暮らしを現実のものにできるのです。

1-4 経済面だけではない家賃収入がもたらすプラスアルファの効用

不動産投資によって収入源を作るメリットは、金銭的な安定や余裕を得られるだけではありません。わたしの会社のオーナー様のお話からは、それ以上のプラスアルファの効用があることがうかがえます。

経済的自由を達成して一番良かったことは、心の余裕

先ほどのオーナー様向け調査では、経済的自由を達成した方にある質問をしています。

それは、『経済的自由を達成して一番良かったと感じること』です。

自由記述で回答いただいたこの項目で、最も多く挙げられたのは『精神的な余裕』で、次いで『時間的な余裕』『金銭的な余裕』となりました。

サラリーマンとして働いている以上、自分の気が向かない仕事をすることになったり、上司・同僚・部下・取引先等との人間関係のストレス、会社の業績不振に伴うリストラの不安といった精神的な負担からはどうしても逃れられないのが事実でしょう。

家賃収入という給与とは別の収入の柱があることで、耐えられなくなったら「この仕事、辞めます！」というカードをいつでも切れるという安心感は、わたしたちが思っている以上にプラスに働く側面があるのかもしれません。

ベーシックインカムの実験が示す継続収入がもたらす効用

ここ数年、日本でもベーシックインカム（ＢＩ）について言及されることが増えてきました。ＢＩとは、年齢・性別・所得の有無を問わず、すべての人に一定額の現金を支給するという制度の考え方です。海外ではすでに社会実験が行われている国もあります。

フィンランドでの社会実験では、ランダムに選ばれた失業者２０００人に毎月約７万円が支給されました。あくまでも失業手当ではなく、職が決まっても支給されると確約されていたものです。

一番良かったのは「精神的な余裕」

Q 経済的自由または FIREを達成して、何が一番良かったと感じますか？

●精神的な余裕……104（60%）
●時間的な余裕……48（28%）
●金銭的な余裕……29（17%）
●その他……………14（8%）

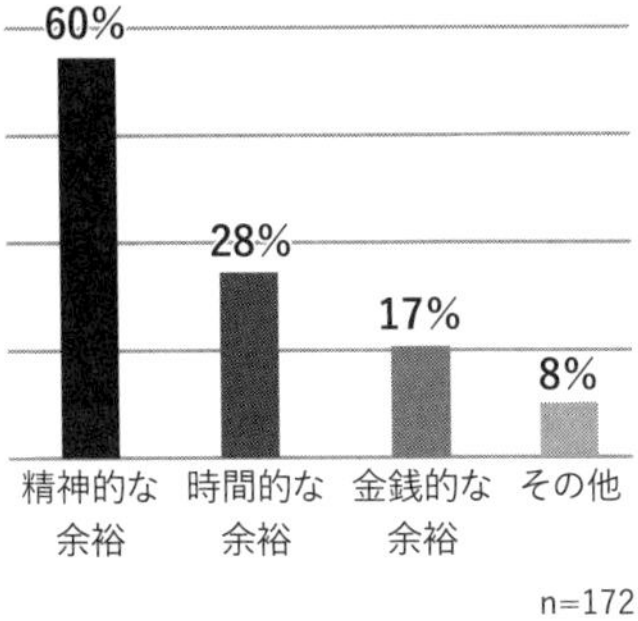

回答（一部抜粋）

精神的な余裕

・嫌な仕事をしなくてよくなり、暴飲暴食などストレス解消が不要となったため心身ともに健康になった。
・リストラや病気離脱、会社の倒産があっても収入があるので精神的安心を得られた。
・ストレスの溜まる人間関係が減少した。
・（人生の）選択肢が増えた。
・自分の信念に従って行動できる。サラリーマンでは企業の利益を優先せざるを得なかった。

時間的な余裕

・睡眠を十分にとれるようになり、健康を取り戻せた。家族との会話やご近所付き合いが増えた。
・介護が必要な親の面倒を見ることができるようになり、親孝行ができていること。

金銭的な余裕

・リスクをあまり感じないで、ゆっくり先を見越した投資ができる。
・躊躇なくお金を使え、ゆとりのある生活が送れる。

調査概要

・対象：当社オーナー様（6月末時点 8,602名）・調査期間：2021年6月18日～25日
・方法：任意回答　メールにてアンケートフォームを送付し、記名で回答
・有効回答：25歳～94歳の計1254名
・回答者の年代内訳：20代20名、30代229名、40代382名、50代394名、60代174名、70代47名、80代以上8名

支給の結果、経済的に余裕が出たのは言うまでもありませんが、プラスアルファの効果も確認されています。それは、健康と幸福面です。ＢＩを支給されていない人たちと比較して、参加者は健康やストレス、気分と集中力に関する問題が少ないことがわかりました。また自分の将来への信頼感と、将来を変えられる自信度が高かったことが明らかになりました。

つまり、経済的な安定が人生をよりポジティブに捉えるきっかけとして機能しているのです。

とはいえ、ＢＩの実行にあたっては、越えなければならないハードルが山ほどあり、日本において導入を期待するのはまだまだ非現実的でしょう。

自分で作れるＢＩ――家賃収入の基盤があればチャレンジできる

継続的な収入は自分の努力でも作ることができます。それが不動産投資です。

不動産という収入源があることで精神的な余裕や自信につながり、より人生を豊かに送るためのチャレンジができたというオーナー様も少なからずいらっしゃるのです。

東証一部上場の機器メーカーに勤務するAさんは、11年前、35歳のときに初めての1戸を購入。5年をかけて3戸まで拡大し、ご結婚もされました。その直後に独立開業し、現在は自身の経験も踏まえ、資産運用や独立支援を行うコンサルティング業を行っています。40代半ばにして新たなキャリアに挑戦できたのは、マンション3戸から得られる家賃収入があったからです。

「結婚直後のタイミングということもあり、不安もありましたが、家賃収入があったので踏み出せました」とおっしゃっていました。

また、現在50代のBさんは、当時人材派遣会社に勤務していました。11年前に1戸を購入、その後現金と固定低金利のローンを用いて3戸まで所有物件と家賃収入を増やしました。そして、5年前に家事代行サービスの会社を設立したのです。

「業績が軌道に乗るまでの間、3戸の家賃収入が心と家計の支えとなりました。」

口コミで顧客も徐々に増え、今は順調に業容を拡大しているようです。

このような転職、起業、独立開業、ボランティア、新たなチャレンジに至った例は枚挙に暇がありません。いずれのケースも長期安定で継続的に得られる家賃収入という毎月数万円から10数万円の〝ベーシックインカム〟があるからこそだと感じています。

若いうちから不動産投資を始めて将来に備えておけば、人生をより楽しく、より豊かに送るために、新しいことに挑戦するリスクも取りやすいはずです。その分、ご自身の幸せもチャンスも掴めるとわたしは確信しています。

もちろん経済的自由に到達できれば理想的ではありますが、働かずとも振り込まれる家賃収入は毎月5万円、1戸からでもありがたいものです。給与とは別の収入源があることは金額以上に大きな意味があるのです。

この書籍で紹介する不動産投資法は、これまで8600名以上の方が実践し、着実に利益を生み出している確かな手法です。今、あなたは漠然と老後に不安を抱いていたり、資産や収入を増やしていく方法がわからなかったり、将来の生活設計に悩まれているかもしれません。

そうであれば、この書籍を読み終わったあとには、どのように収入を生み出す資産をつくっていけばよいのか、どうすれば経済的自由を得られるのかといった道筋がはっきりと見えてきます。そして、不安も解消されて、よりよい未来を切り開く一歩を踏み出せることでしょう。

第2章

いまも昔も変わらない
不動産投資は東京の
中古ワンルーム投資がいちばん！

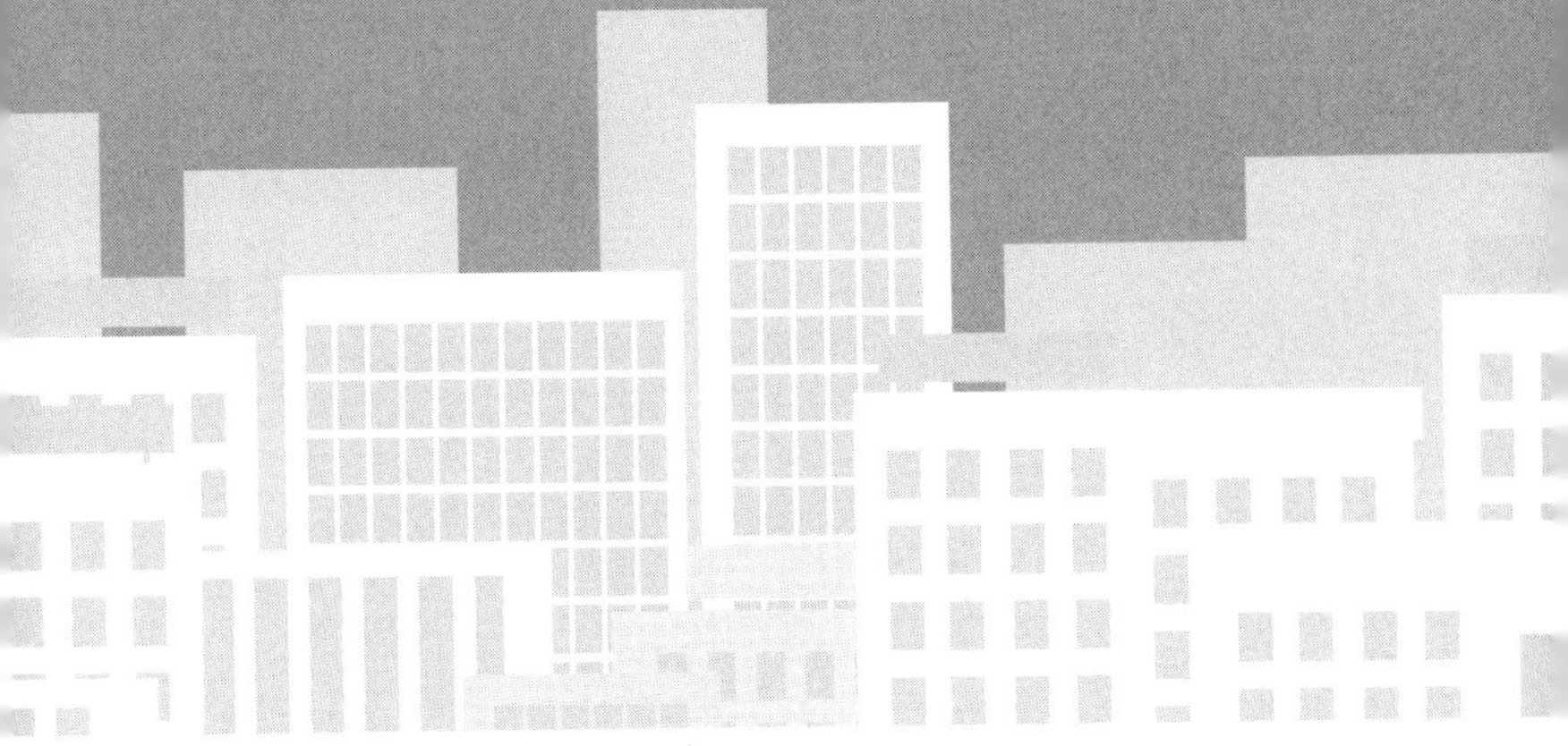

2-1 不動産投資の目的は長期安定収入を得ること

不動産投資の目的は長期にわたって安定的に家賃収入を得ることにあります。

不動産投資には、不動産を第三者に貸し出して家賃収入を得るインカムゲインと、不動産自体を売却して利益を得るキャピタルゲイン（売却益）の2つがあります。老後の収入源や経済的自由を目指すには、キャピタルゲインではなくインカムゲインを得ることを目的とすべきです。

売却益ねらいの不動産投資は間違いです。不動産を購入して、高く売り抜けるような投資法を、あなたには決しておすすめしません。

売却益は考えないほうがいい

ここ数年、不動産市況の好調が続いていることから、売却益をねらうことを推奨するような不動産投資手法も紹介されています。しかし、わたしはこうした売却益をねらう方法は絶対におすすめしません。

わたしはこの不動産投資の業界に35年以上います。売却益をねらって不動産投資を行い、大変な目にあってきた人を実際にこの目で何人も見てきました。

平成バブルの絶頂期は、まさしくこの売却益ねらいの不動産投資が主流でした。ローンの借入れ金利が８％もあって、家賃収入から経費や毎月のローンの返済を差し引いた赤字額が15万円になったとしても、すぐに売って利益を出せるからといってどんどん不動産が売れる時代でした。

しかも、不動産投資で出た赤字は所得を減らし、節税になるからといって、毎年赤字になっていても、投資手法としてまかりとおっていたのです。

ごく普通のサラリーマンが多額のローンを組んで不動産投資を始めていました。それがバブルがはじけてどうなったか。ほとんどの人が、身の丈を超えるような多額の借金をしているなかで物件価格が急落したため、物件を売っても借金が返せなくなりました。

多くの方が自己破産に追い込まれました。書店では自己破産手続き関連の本がたくさん置かれたほどです。

不動産市況が盛り上がっているからといって、安易に売却益をねらい、節税目的で不動産投資を始めてしまうと、取り返しのつかない失敗を招いてしまいます。

2-2 31年の経験で導いた結論「東京の中古ワンルーム投資」が最適な理由

不動産投資とひとくちにいっても、投資する物件の種類やその立地、新築物件か中古物件かなど、組み合わせによっても投資スタイルはさまざまです。そんな数ある不動産投資法のなかで、賃貸管理会社を31年経営してきたわたしの結論が、「東京23区内の中古ワンルーム投資」です。

東京の中古ワンルーム投資が最もリスクが少なく、効率の良い投資法です。その理由を5つにまとめました。

理由1　東京23区は地方に比べて空室リスクが圧倒的に少ない

不動産投資のリスクのうち、真っ先に考えるべきは「空室リスク」です。不動産投資の目的である長期安定収入を実現するためには、空室の期間をいかに短くするかが大切で、不動産投資の成否を握っています。だからこそ、東京23区内のワンルームマンションなのです。

東京は日本で最も人口が多く、賃貸需要も旺盛です。空室の発生を100%防ぐことはできませんが、東京23区内のワンルームマンションであれば空室が発生したときに、すぐに次の入居者を見つけることができます。

わたしはこれまで一貫して不動産投資の立地は東京23区内、最寄り駅から徒歩10分以内にこだわってきました。それは、目の前の空室リスクだけではなく、将来にわたっても空室リスクを最小限に抑えるためです。

東京の人口は専門家の予想をも上回るスピードで増加してきました。東京には大学進学や就職を機に、日本全国から若者が集まってきます。コロナ禍でも10代後半から20代の若者の転入超過数がマイナスになった月はありません。大学も、企業も、外国人も、そしてエンターテインメントも集まる東京は、人々を引き付けてやまない魅力あふれる都市です。人口減少時代に突入した日本において、将来にわたって賃貸需要が安定し、長期安定収人が得られるエリアは東京23区しかありません。

なぜ東京だけしか考えられないのか、この後の第3章でより詳しくご紹介します。

東京の中古ワンルームをおすすめする５つの理由

❶ 東京23区は地方に比べて空室リスクが圧倒的に少ない

❷ 少額の自己資金から始められる

❸ いざというとき換金しやすい

❹ リスク分散がしやすい

❺ 再現性が高い

理由2 少額の自己資金から始められる

東京23区内の中古ワンルームの価格は手ごろだといっても、価格は1000万円から3000万円と、ほかの金融商品と比べて高額です。現金で投資をしようとなると、不動産投資を始められる人も限られてしまいます。

しかし、不動産投資はローンを利用できるという特徴があります。手元に投資用マンションを購入するだけの資金がなくても、ローンを利用することで不動産投資を始めることができます。都内の中古ワンルームであれば、頭金10万円とローンを利用する際の諸経費60万円から70万円があれば、投資をスタートできます。

中古のワンルームの場合、長期のローンを組むことで毎月の収支を黒字にして運用することは十分に可能です。そして、毎月の家賃収入を使ってローンを返済していくことができます。つまり、入居者の家賃収入で資産をつくっていくことができるのです。他人の力を利用して資産を形成することができるのは、ほかの金融商品にはない不動産投資ならではの特長です。ローンの使い方次第では、元手の資金を2倍、3倍と増やしていくことも不可能ではありません。

しかし、お金を借りることにはリスクもあります。リスクを抑えて効率的に資産を増やすためには、ローンとの正しい付き合い方を押さえることが大切です。こちらは、第５章で解説します。

理由3　いざというとき換金しやすい

売りたいときに売れて現金化できるということは、資産運用先を選ぶうえで、欠かせないポイントです。

よく不動産はほかの金融商品に比べて流動性が低い、換金しづらい資産だといわれます。ところが、すべての不動産が換金しづらいわけではありません。東京23区内のワンルームは投資家からの人気が高く、流動性の高い不動産です。ローンがなく抵当権のついていないワンルームであれば、最短1週間程度で現金化することも可能です。

これが、郊外の駅からも遠い土地付きアパートの場合、換金は簡単ではありません。むしろ、上物であるアパートがないほうが売りやすくなるので、アパートの住民に対しても出て行ってもらう必要があります。これが簡単ではありません。

時間に加えて、退去費用もかかってしまいます。いざお金が必要になったときに売れずに換金できないものは、資産とは言えません。

理由4 リスク分散がしやすい

同じ金額を不動産に投資をするにしても、1棟アパートマンションのように1つの不動産に集中して投資をするのではなく、複数のワンルームマンションに投資をしたほうが、様々なリスクを分散することができます。

複数のワンルームマンションに分散投資をすることで、軽減できる代表的なリスクが空室です。

地方や郊外では特定の大学や工場に通う人たちを中心に経済圏を作っているエリアもあります。こうした状況下で、中核的機能を果たしてきた大学、工場が移転すると、地域は大打撃を受けてしまいます。たとえば大分県の杵築市や国東市では、いま築15年前後のアパートに家賃1万円以下で住むことができます。1泊の料金ではありません。賃貸ポータルサイトには1か月の家賃が1万円、2万円といった賃貸物件がゴロゴロと出てきます。

かつてあったキヤノンやソニーの工場が移転してしまい、工場勤務者を見込んで建てたアパートに誰も人が住まなくなってしまったのです。工場が移転して入居者がいなくなったとしても、ローンの返済は待ってくれません。こうした場合でも、複数エリアのワンルームマンションに投資をしていれば、影響を受けるのは1室のみにとどまります。全体としてのリスクを軽減することができるのです。

また、同じ金額を投資するにしても、投資する時期をずらすことで物件の取得価格を平均化することができます。1戸目のマンションを購入したときの市況が好調で物件価格が高かったとしても、2戸目のマンション購入時の価格が安ければ、全体の投資額を抑えることが可能です。

そのほかにも、築年数をずらして購入することで、設備の交換時期をずらすことができ、余裕を持った資金計画を立てることも可能です。

1つの籠に卵を入れていれば、籠がひっくり返ったときにすべての卵が割れてしまいます。しかし、ワンルームマンションの分散投資のように卵を分けて保管しておけば、リスク管理をすることが可能です。投資の格言「卵は1つの籠に盛るな」は、不動産投資にも有効な考え方です。

理由5 再現性が高い

東京の中古ワンルーム投資は、再現性の高さも魅力のひとつです。

書店の不動産投資コーナーやYouTubeで再生が回る動画を覗いてみると、目を引くのは『カリスマ大家』による1棟アパートやボロ物件再生といった不動産投資法です。残念ながらそこで紹介されている方法でわたしたちが同じような成功を収めるのは至難の業です。そこには特別な資産背景やその時代だから実現できたノウハウ、個人の能力や人脈に依存するといった再現の難しい理由が並んでいます。

それらの投資法に比べて東京の中古ワンルーム投資の再現性は確かなものです。

東京の中古ワンルーム投資の再現性が高い理由は3つあります。それは、「人を選ばないこと」、「物件を選ばないこと」、そして「時代を選ばないこと」です。

たとえば、一般的なサラリーマンが銀行を訪れ、「都心の一棟マンションを買いたいからとりあえず1億円貸してくれ」と言っても相手にされません。同じく、一棟マンションを扱う不動産会社に足を運んだとしても、少なくとも2000万円ほどの資金がなければ相談に乗ってくれさえしない会社がほとんどでしょう。

では「2000万円の23区内の中古ワンルームをひと部屋買いたい」と相談した場合にはどうでしょうか。もちろん年収や勤続年数などの条件はありますが、最低限の自己資金さえ準備できれば多くのサラリーマンが始めることができます。わたしの会社では8600名を超えるオーナー様がいらっしゃいますが、その8割以上がいわゆる「サラリーマン大家」です。

また東京23区の最寄り駅から徒歩10分以内の物件であれば、同じような運用成果を期待できます。20年以上にわたって東京の中古ワンルーム投資を行っているあるオーナー様の所有物件で、最も稼働率の高い物件は、意外にも「蒲田」にある3点式ユニットバスのワンルームマンションです。所有日数は7000日以上で空室期間はたったの60日程度と、99・1％の入居率を達成しています。港区や中央区、千代田区のような都心の一等地でなくとも、安定した家賃収入を得られることが、東京中古ワンルームの魅力です。

さらに、東京の中古ワンルームはいつの時代にあっても、安定して収入を生み出し続けてくれます。わたしの会社は30年以上にわたって東京23区の中古ワンルームマンションの管理をお預かりしていますが、年間平均入居率は98％以上を維持しています。この要因は、理由1でもご紹介した通り、圧倒的な人口数と人口流入に起因しています。しかも、どのような経済状況に陥ったとしても、安定した家賃収入は得られ続けています。都心の賃貸物件の家賃が明日から突然半額になるなんてことは、非常に考えにくいことです。リーマンショックや東日本大震災など、多くの経済的な危機に見舞われましたが、その際も入居率は一時的な影響はあったもののすぐに回復しました。時代や経済状況に左右されないからこそ、東京の中古ワンルームが最適です。

2-3
東京の中古ワンルームはサラリーマンにこそおすすめ！

東京の中古ワンルーム投資はサラリーマンの方にこそ強くおすすめします。サラリーマンであれば、毎日仕事で忙しく、残業続きという方もいるはずです。そうした方々が、忙しい時間の合間を縫って老後の収入源となる資産づくりを行うことは難しいでしょう。きっと、あなたも「毎晩1時間、資産づくりのための時間をつくってください」といわれても、二の足を踏むのではないでしょうか。

その点、東京の中古ワンルーム投資であれば、家賃収入という利益をあげるのに、特別なスキルもノウハウも知識も必要ありません。適切なワンルームを選んで信頼のおける賃貸管理会社に委託するだけで、安定した家賃収入が毎月入ってきます。

株式投資やＦＸで、利益をあげようとすれば、毎日、銘柄の動きをチェックしたり、経済指標や為替に影響を与えるニュースに注目し続ける必要もあります。

そうまでしても、利益があがる保証はありません。損をしてしまって、これまで必死に貯めてきたお金がなくなってしまうこともあります。もし株で100万円損したら、その100万円を取りもどすのにどれくらい働く必要があるでしょうか？

不動産投資の場合、資産形成で必要なことは、計画的にローンを繰上げ返済していくだけです。繰上げ返済をコツコツこなしていけば、確実に資産が増えていきます。

養育費がかかる時期であれば、繰上げ返済をストップしてもいいのです。その間も投資用マンションは稼働し続け、入居者の家賃収入でどんどんローンの返済がすすみます。

サラリーマンであれば、信用力もあるのでローンを借りやすく、しかも東京の中古ワンルームであれば頭金は少額ですみます。いわば、あなたが真面目にコツコツ働いてきた時間を資産に替えることができるのです。東京の中古ワンルーム投資ほど、サラリーマンに向いている投資先はありません。

サラリーマン家庭の「万が一」を救う東京の中古ワンルーム

ローンで組んで始めた東京の中古ワンルーム投資は生命保険の代わりにもなります。

投資用マンションのローンも、マイホームのローンと同じように団体信用生命保険がつきます。団体信用生命保険とは、あなたに万が一のことがあったときや高度障害になったとき、ローンの残債が生命保険会社によって完済されるしくみの保険です。

これによって、ご家族にローンのないマンションを遺してあげることができます。ローンはすでに完済されているので、家賃収入がまるまる手元に残ることになります。

さらに、ご家族がまとまったお金が必要になったときには、換金性の優れた東京の中古ワンルームであれば、すぐに売却して現金を手にすることもできます。

通常の生命保険はあなた自身がお金を支払って保障を得るのに対して、投資用マンションをローンで購入した場合は、資産形成をしながら、万が一の保障を得られるのです。

31年間にわたり賃貸管理会社を経営してきたなかで、残念ながら早くして亡くなられたオーナー様もいらっしゃいました。奥様から、ご主人が遺されたマンションから得られる家賃収入を使って、息子さん、娘さんを大学に行かせることができたと、手を取って感謝されたこともあります。万が一のときに、あなたの代わりにマンションがご家族の生活を守ってくれるのです。

2-4

FIREを実現した投資家も東京の中古ワンルームから始めている

1章でも触れたように、わたしの会社のオーナー様にはFIREという形で仕事を早期退職したり、経済的自由を手に入れて、金銭面でも精神面でも自由に暮らしている方もたくさんいます。10戸、20戸といった単位のワンルームマンションを所有し、不動産から1000万円以上の家賃収入を得ている方も珍しくありません。あるオーナー様は、愛知県に在住のまま、東京の中古ワンルームを16戸まで買い進め、今では月100万円以上の家賃収入を得ています。また、FIREを実現した別のオーナー様は、都内17区に29戸を所有し、23区すべての制覇を目指しているといいます。なかには、アパートや戸建て、太陽光といった投資も行っている方や、自身の得意分野を生かして事業を立ち上げた方もいます。

では、こういった方々に開始時点から特別な何かがあったかというと、そうではありません。スタート地点はみんな同じです。まずは1戸、東京の中古ワンルームを購入するところから始まったのです。千里の道も一歩より、と言いますが、１００戸の道も1戸より、です。東京の中古ワンルームからの安定収入を2戸、3戸とコツコツとマンションの戸数を増やしたことで、だれもが羨むような成功を成し遂げることができたのです。そして、その土台があることで、よりリスクが高いアパートや太陽光といった投資や、新規事業の設立にも踏み出すことができているわけです。

東京の中古ワンルームは、あなたの夢を叶えるための大きな礎になるはずです。

第3章

五輪後もまだまだ止まらない！
不動産投資は
進化し続ける東京を買え！

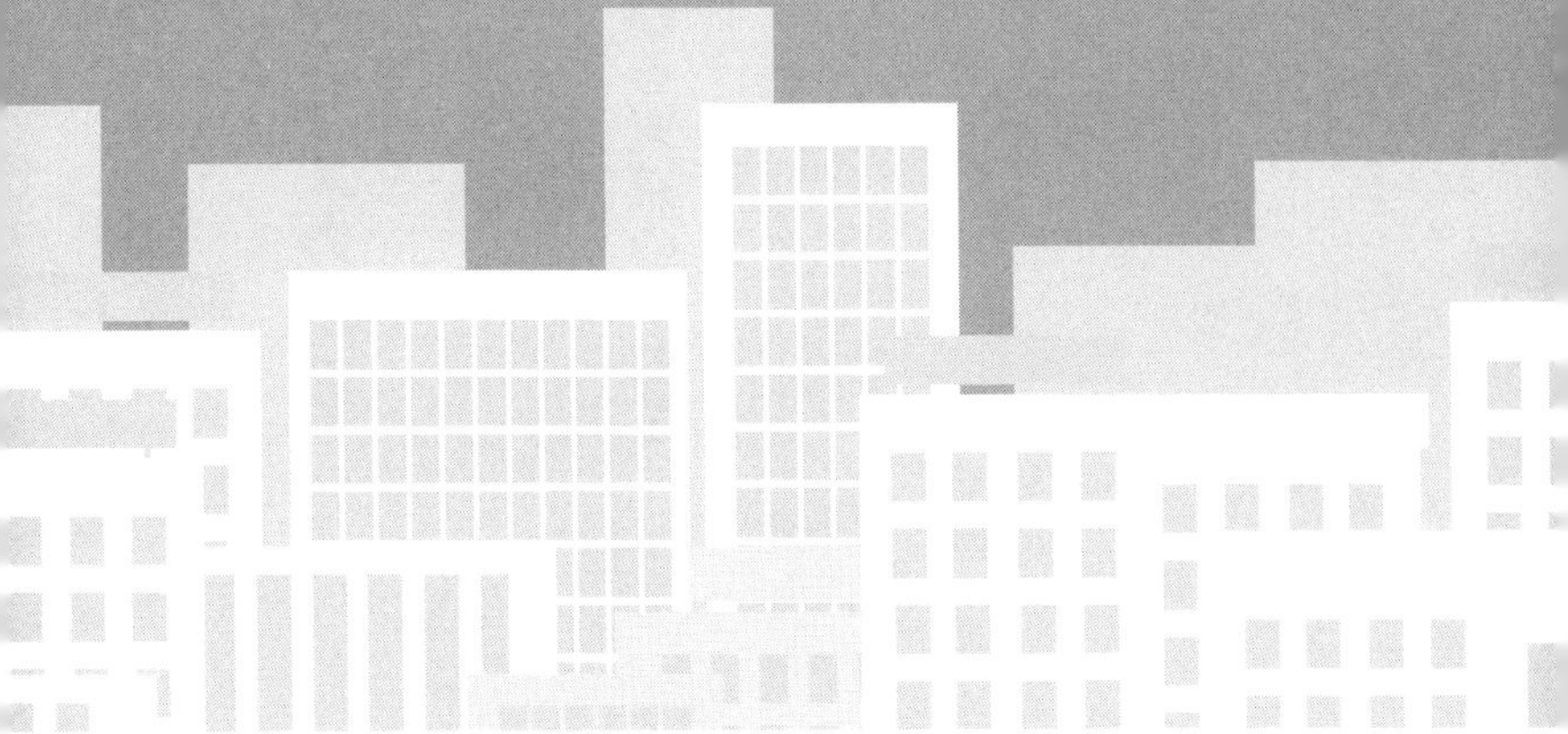

3-1
データが証明！東京の不動産市場にコロナが与えた影響

コロナ禍で海外の投資家から脚光を浴びる東京の不動産

２０２０年に入り全世界で爆発的に感染が広がった新型コロナウイルス。誰も予想だにしなかったこの事態は、不動産市場にも影響を及ぼしました。ホテルやオフィス市場を中心に先行き不安の声があがり、実際に東京都心5区（千代田、中央、港、新宿、渋谷）のオフィス空室率はコロナ禍を契機にじわじわと上昇を続けています。

では、東京で不動産に投資する魅力は失われてしまったのでしょうか。答えはＮＯです。むしろ現在、世界中の機関投資家が次々に東京の不動産を買い進めています。

世界大手の不動産サービス、ジョーンズラングラサール（ＪＬＬ）はこのほど、２０２１年第一四半期における不動産投資額の世界の都市別ランキングを発表しました。

その結果、東京は79億ドルで2位にランクイン。２０２０年通年でツートップとなっていたパリとロンドンの2倍に迫る投資額となっています。確かにこのところ、海外ファンドによる大型投資の話題には事欠きません。例えば、香港の大手投資ファンドは3年ほどかけて最大で８４００億円を日本の不動産に投じる計画です。さらに、カナダの投資ファンドも、日本の不動産への投資枠を拡大し、今後数年で最大1兆円を投資すると報じられています。加えて、海外の富裕層や機関投資家による都心部のマンションの購入意欲も旺盛です。ＪＬＬの調査によると、国内の賃貸集合住宅への投資額は２０２０年上半期でコロナ前の前年同期比で約3倍に膨れ上がり、その要因として海外投資家からの旺盛な投資活動が挙げられています。

東京の不動産は世界的に安定かつ割安

これほどまでに東京の不動産に注目が集まる理由は主に2つあります。1つはほかの投資に比べて安定して収益を得られることです。

現在、経済対策で日米欧すべてにおいて、史上最大規模の財政出動が行われています。

各国の中央銀行は国債やＥＴＦ、ＲＥＩＴといったあらゆる金融商品を市場から買い上げ、お金をばらまいているのです。その結果、先進国の国債などのいわゆる安定資産を中心に、金融商品全般の利回りが低下しています。

どの金融商品に投資してもいわば「儲からない」なかで、世界の投資家が目を向けているのは、日本の不動産から得られる安定した収益です。日本は世界各国のなかで、比較的政治的なリスクが低く、今後も低金利が続く可能性が高いとみられています。これにより、利回りと借入金利の差、すなわちイールドギャップが大きく取れるので、投資価値が高いと見られているのです。

もう1つの理由として、東京の不動産は他国の主要都市と比べ、割安とされていることが挙げられます。経済協力開発機構（ＯＥＣＤ）の統計によると、２０１５年を１００とした２０２１年1~3月の住宅価格は、米国とドイツで１４７、カナダが１４６、英国が１２９など大きく上昇するなか、日本は１１１と上昇幅が比較的小さくなっています。また、ＵＢＳが公表している２０２０年のグローバル不動産バブル指数でも、世界の大都市のなかで東京は10位であり、バブルのリスクがあるとされる指数１・５を下回る１・20と評価されています。

一方、中国や韓国ではマンションを中心に不動産の価格が高騰し社会問題にまで発展しています。海外投資家たちがいま最も注目しているエリアが日本、特に東京の不動産なのです。

リモートワークの影響は限定的！

とはいえ、コロナ禍が長引き業種や職種によってはリモートワークが前提になる動きもあります。メディアでは都心から郊外や地方への移住のほか「オフィス不要論」までもささやかれているほどです。人が離れると当然ながらその地域の賃貸需要もなくなってしまいます。では実際のところ、リモートワークの浸透によって東京の賃貸需要はどのように変わったのでしょうか。

結論から言うと、わたしはリモートワークが東京の賃貸需要に与える影響は限定的だと考えています。その理由は２つあります。

リモートワーク長期化でオフィスの価値が見直されている

1つはリモートワークが長引くにつれ、むしろオフィスは必要なのではないかと考えられる調査データが出始めたからです。

オフィス仲介大手の三鬼商事によると、2021年7月時点で千代田区や港区など都心5区にある大型オフィスビルの空室率が6・28%となり、17か月連続で空室率が上昇しています。供給過剰の目安が5%であることを考えると、都心からオフィスがどんどんなくなっていくのではないかと思ってしまいます。三菱地所が行った調査では、2021年6月時点で、仕事の場所がオフィスとテレワークの併用またはテレワークのみと答えた人の割合は67%となり、オフィスのみという人は33%でした。

その一方で、事業用不動産大手CBREが取りまとめたレポート「コロナ禍で加速するオフィスの再評価」では、オフィスの減床による実際のマーケットへの影響は限定的で、仕事の生産性の面でもリモートワークで仕事ができることが必ずしもオフィス不要に結びつかないのではないかと指摘しています。

レポートでは23区の賃貸ビル入居企業のうち「オフィスを減床予定」と答えた企業の割

合は32％に上ってはいるものの、回答企業のオフィス使用面積と増床や現状維持の割合も含めると、今後リモートワークがオフィス市場の実需に与える影響は1・8％程度の減少にすぎないと試算しているのです。ここから大幅にオフィスを減床する企業は極めて少数ということがわかります。

ではなぜ、リモートワークが一般化してきたにも関わらず、企業は今後もオフィスを維持するのでしょうか。レポートではリモートワークが長期化するにつれ、従業員同士のコミュニケーションと部下やチームのマネジメント、社員の心身の健康管理などの課題が浮き彫りになっているとの調査結果が出ています。前出の三菱地所の調査でも、個人の生産性について、業務内容ごとにオフィスとテレワークを比較すると、『打ち合わせ・ディスカッション等はオフィス（対面）のほうが生産性が高い』との回答が6〜7割に上っており、その結果としてコミュニケーションや事業推進力が低下しているとしています。それを裏付けるように、勤務形態がリモートワークのみの人は現状でも8％で、コロナ後はわずか5％となると予想されています。あなたも、リモートワークで仕事を進める上でほかの社員とのコミュニケーションに齟齬が生じたり、マネジメントの難しさを感じたりしたことがあるのではないでしょうか。

こうした調査をみると、現状ではリモートワークですべての仕事が従来通りのパフォーマンスで完結するのは難しく、東京からオフィスが大幅に減少することは現実的ではないことがわかります。オフィスに通うことがなくならない限り、人々は通勤の利便性を考え東京に住み続けるでしょう。むしろ、満員電車の通勤を避けて、オフィスまで徒歩や自転車で辿り着ける都心・駅近立地の魅力はさらに向上するとも考えられます。

賃貸需要は底堅く推移！　その理由は東京がもつ「多様性」

リモートワークの影響が限定的だと言えるもう1つの理由は、依然として賃貸需要が底堅く推移しているからです。

わたしの会社でヒアリングを行った結果、確かに、初めて東京で緊急事態宣言が発令された2020年4月は、新社会人や転勤、外国籍の需要の低下により、例年と比べ仲介会社への来店が2～5割ほど減少しました。さらに、多くの入居申し込みのキャンセルも発生。この影響は2か月ほど続きました。

しかし、緊急事態宣言が明けの7月ごろからは状況が変化しました。客足も徐々に戻り、来店客数は例年と比べほとんど変わらない水準にまで回復したのです。

そして２０２１年１月に２度目の緊急事態宣言が発令された際、その影響を確認するため、賃貸仲介会社51社に対して、緊急事態宣言再発令後の賃貸需要についてアンケートを実施しました。その結果、入居希望者が「増える」「例年通り」と回答した会社は24件と約半数に上り、「減る」と答えた14件を上回る結果となりました。実際に、わたしの会社で管理している物件の年間平均入居率は２０２１年８月末時点で依然として98％以上を維持しており、東京の賃貸需要は底堅く推移しています。

メディアでは、東京の人口が減少に転じたことがことさら取り上げられます。ただ、内訳をみると東京一極集中の傾向が変化したとは言えないことがわかります。

東京都が発表しているデータによると、初の緊急事態宣言が出た２０２０年４月と、３回目の緊急事態宣言が出た２０２１年４月のデータ（それぞれ１日時点）を比較すると、コロナ禍から1年で東京の総人口は２万５４４３人減少しましたが、「日本人」に限ると７４４０人の増加となっています。つまり、東京から減っているのは外国人ということです。

出入国在留管理庁のデータでは、コロナ禍で入国に制限がかけられたことから、

２０１９年と比べて２０２０年の外国人入国数はおよそ９割減でした。旅行などを目的とする短期滞在を除いても、７割減で、そもそもの流入が大幅に減速しているのです。わたしの会社では、外国人入居者のなかで特に留学生が多いのですが、提携する留学斡旋のエージェントからは日本の学校に進学を希望していてもビザが下りず、日本にやってくることができない学生たちが今多くいると聞きます。

また、厚労省の統計によると、２０２０年10月末時点で外国人を雇用している事業所で最も多いのが「製造業」の19・３％で、「卸売業、小売業」が18・１％、「宿泊業、飲食サービス業」が13・９％と続きます。緊急事態宣言により宿泊業や飲食業が大打撃を受けたことを考えると、コロナ禍で仕事を失った外国人がやむなく東京を離れたのではないかと推測できます。そうした外国人はコロナ禍が終息した後、再び仕事を求めて東京に戻ってくるのではないでしょうか。

さらに言うと、２０２０年の１年間における15歳〜29歳の若年層の転入出状況を見てみると、東京都は７３８５５人の転入超過で全国トップとなっており、２位の神奈川県が２３５００人でしたので、実に３倍以上の若者を集めているのです。つまり、データからも東京は依然として人が集まる都市だと言えます。

転入超過の内訳がポイント：若者が集まり続ける東京

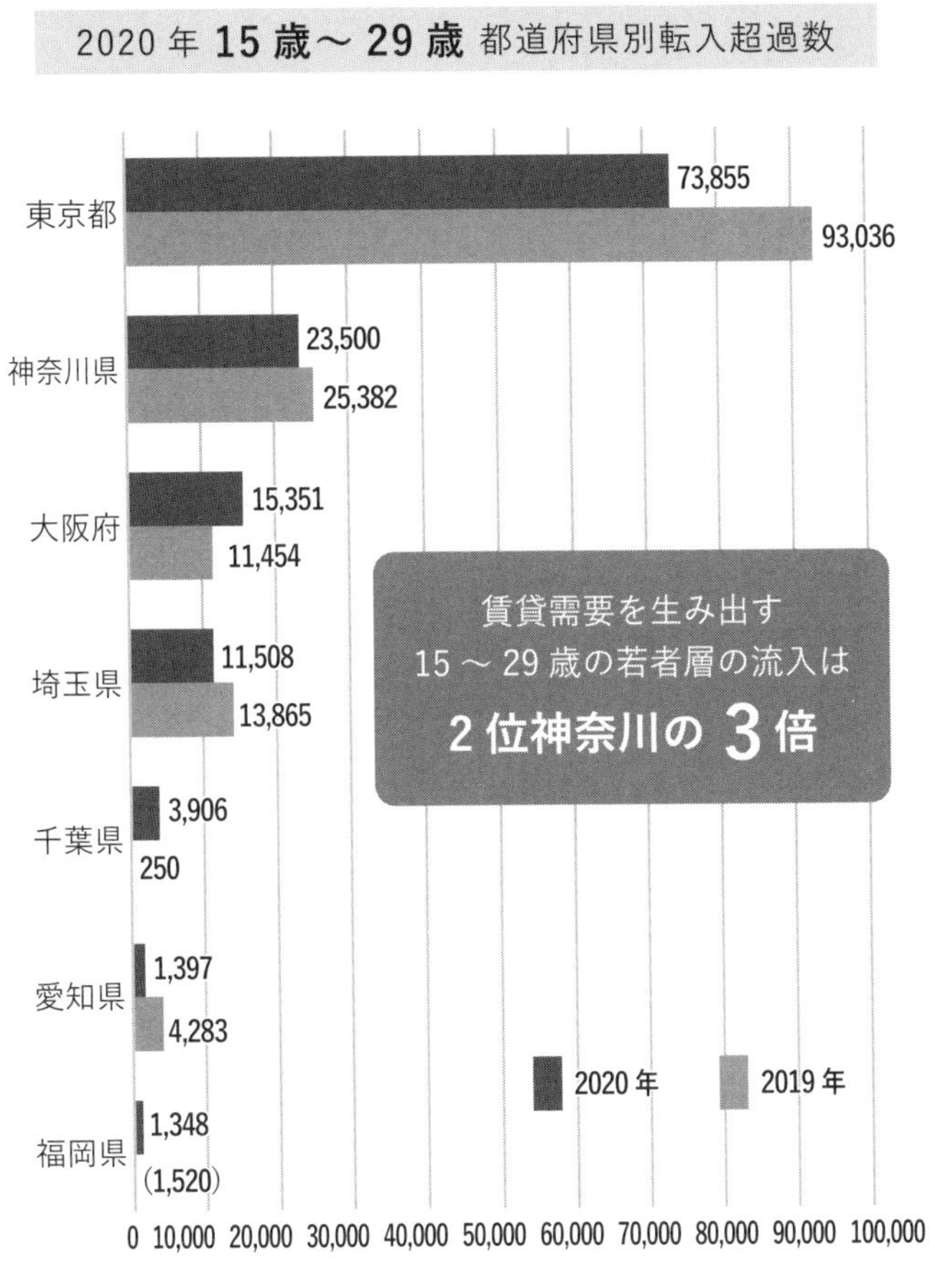

（総務省統計局住民基本台帳報告 年次移動者より）

その大きな要因が東京のもつ「多様性」です。東京は平均給与の高さや勤務先の豊富さ、通勤の利便性といった働く場の側面だけではなく、生活の場としても魅力にあふれています。買い物や様々な娯楽施設、アミューズメント施設が日本で最も集まっており、後述しますが大型再開発も次々に予定されています。

仕事はもちろん、学校や商業施設、娯楽施設、さらに、交通網が整っている東京だからこそ、日本一の大都市としての魅力が失われない限り、リモートワークの影響は限定的だと言えるのです。

3-2 長期安定収入を得るなら東京以外の選択肢は考えられない

このように世界中から熱い視線を注がれている東京の不動産ですが、その根本的な理由は東京の賃貸需要が旺盛で今後も安定した収益が見込めるからです。

専門家の予想すら上回って東京には人が増えている

不動産投資で長期にわたって安定収入を得るには、賃貸需要の旺盛な場所で投資をすることが欠かせません。賃貸需要は人口数に比例するので、日本のなかで最も人口の多い東京に投資をすることが、最も空室リスクが抑えられると言えます。実際に東京の人口数は約１４００万人で、日本の全人口の１割強が暮らしています。

他方で、日本はすでに人口減少時代に突入しており、国内の総人口は毎年数十万人ずつ減少しています。将来の人口減少は東京といえども避けることはできません。しかし、東京に人が流入する「東京一極集中」が続いている今、そのペースは国内の総人口の減少幅と比べ、非常に緩やかなペースになると予想されています。

国立社会保障・人口問題研究所が発表している将来の東京の人口の推移を示したデータによると、2013年に発表された予測では、東京都の人口は、2015年に1334万人でピークを迎えるとされていました。これが2018年に発表された最新の将来推計人口では上方修正され、2030年の1388万人がピークになると変更。しかし2020年には1400万人の大台を突破しました。つまり、専門家の予想を大きく上回るスピードで東京の人口増加は加速していることがわかります。

こうして将来の人口データを見ながら投資先を考えれば、不動産投資で長期安定収入を得るためには、やはり東京が一番だとあらためて実感できるのではないでしょうか。

なぜ、東京にこだわるのか？

わたしがここまで東京にこだわっているのは、不動産投資は長期の投資だからです。ほかの投資と違って売却して利益を確定させるというものではありません。将来にわたって

東京都の人口と将来推計人口の推移

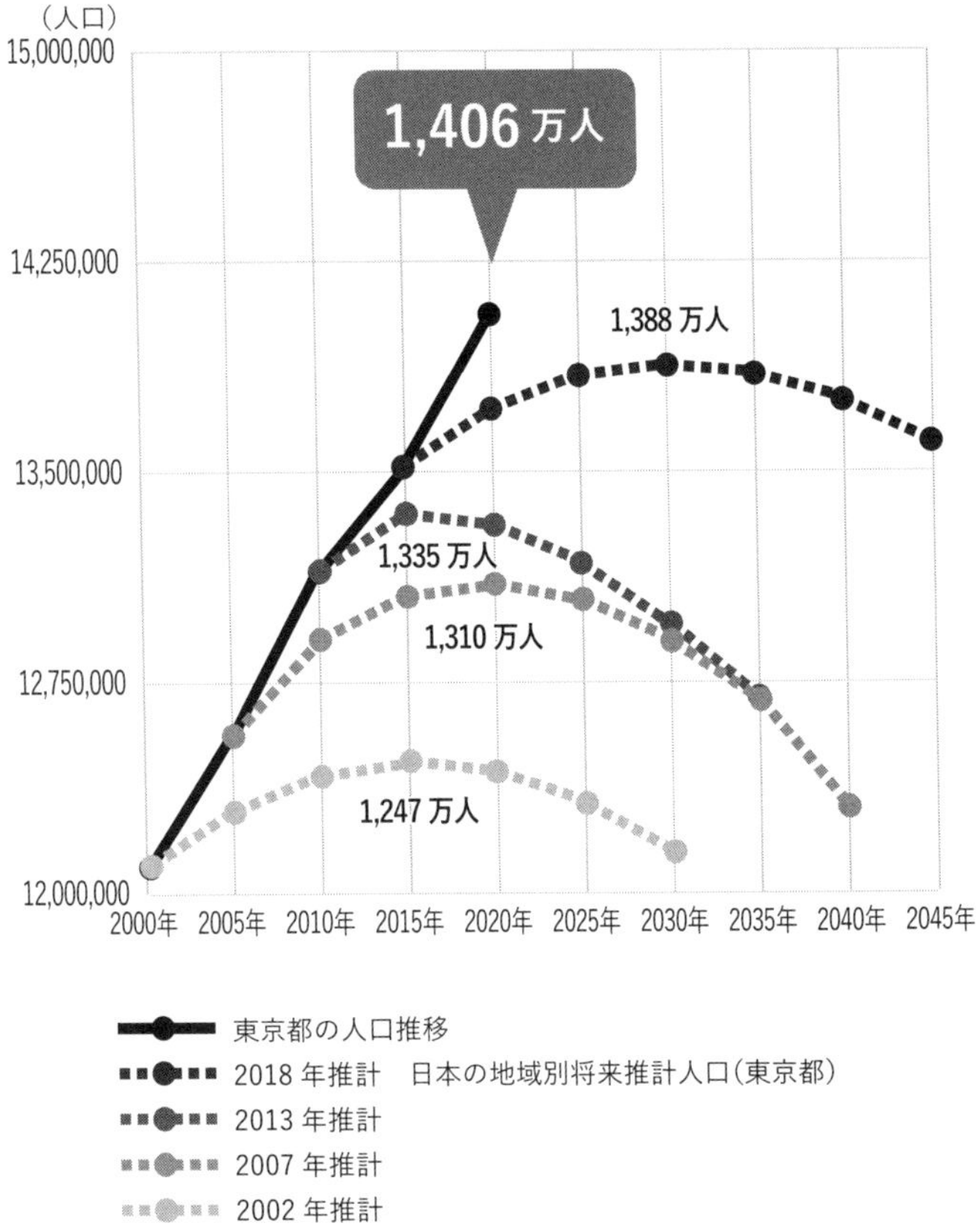

総務省「国勢調査」（※2020 年は人口速報集計結果）、
国立社会保障・人口問題研究所「将来推計人口・世帯数」より作成

安定して家賃収入を得ることができる不動産に投資すべきです。

東京以外の不動産であれば、価格が安く、利回りが高い物件があるかもしれません。しかし、そうした物件が本当に何十年にわたってあなたの将来に役立つ投資先になってくれるでしょうか。人口が減少する地方や郊外で本当に空室が埋められるのでしょうか。

空室で困っているという方が相談にこられますが、その多くがやはり地方や郊外の、駅から徒歩10分以上ある場所の物件を所有しています。目先の利益にとらわれず、安定収入を目指すのであれば、エリアは東京23区に絞ることが一番です。

不動産投資の原則からはずれた地方アパートの危険性

ところが、人口が減少しているはずの地方郊外で、次々に賃貸アパートが建てられています。賃貸住宅の着工数のデータを見ると、この10年間で約３６０万戸の賃貸住宅が建てられています。

大きな要因は相続対策です。現金をそのまま相続した場合、相続税額を計算するためのベースとなる相続税評価額は、額面金額の１００％となります。一方、現金を投資用の不動産に組み替えた場合、評価額はおよそ3分の1から4分の1程度に圧縮することができます。この相続税評価額の圧縮効果をねらって、賃貸アパートがどんどん建てられているのです。このように、賃貸需要と賃貸アパートの供給が釣り合っていないエリアに投資してしまうと、その後は「空室」の不安をずっと抱えることになります。

２０１４年の時点で、全国１７４１自治体のうち、過半数の８９６の自治体が「消滅可能性都市」だと政府の日本創生会議で報告されています。消滅可能性都市とは、若年女性（20〜39歳）人口が、10年から40年までの間に半分以下になることをいいます。

人口の減少スピードは地方では平均を上回るスピードで加速しているのです。今、アパートが満室だったとして、10年後も同じように満室だとは限りません。人口が減少していくのであれば、それに伴って空室が増えるのはあたり前の話です。

実際、総務省の調査によれば、２０１８年時点での全国の賃貸住宅（1戸建含む）の空室率は18・5％にもなり、ほぼ5件に1件が空室の状況です。

地方や郊外では土木・建築業を中心に人手不足が続いているので、こうした需要をうまく取り込めれば、安定したアパート経営ができると思われるかもしれません。しかし、リーマンショック後、工場で働く人たちで満室だったアパートで、工場の閉鎖とともに、空室が一気に続出してしまったことを思い出してください。賃貸需要が工場や大学のような特定の門に限られているような場合、安定した賃貸経営は難しくなります。実際、コロナ禍で多くの大学がリモート授業になったことで、大学生向けのアパートの空室が一向に埋まらない、という話も聞こえてきます。

こうした状況下で、利回りが高いから、価格が安いからという目先の数字だけで、賃貸需要のない土地に不動産を買っても、将来の空室は明らかです。大切なのは「今この瞬間」の賃貸需要ではなく、10年後、20年後といった将来にわたる賃貸需要の見極めです。

サブリース契約では空室リスクは完全にカバーできない

賃貸アパートのサブリース契約にも問題があります。サブリース契約とは、不動産会社がアパートを一括借上げして、家賃を保証してくれる契約です。しかし、当初約束した額でいつまでも保証し続けてくれるわけではありません。不動産会社によって契約賃料の見直し期間は2年から10年程度で幅はありますが、一定期間が経過すると、家賃の見直し、つまり家賃が減額されてしまいます。

さらに、借上げ会社からの家賃の減額については、その適法性が最高裁の判例でも認められています。そして、この減額を断った場合、不動産会社によっては一方的に一括借上げ契約を解除してくるケースもあります。管理を借上げ会社にまる投げしていた場合、いきなり解除されたら、部屋が空室だらけだったということにもなりかねません。

最終的に手元に残ったのは、莫大な借金と老朽化が進んで空室だらけのアパートというのではやり切れません。そんなアパートを相続したご家族も、空室やたび重なる修繕で大変な苦労を背負うことになるでしょう。

こうしたトラブルが社会問題となったことを受け、２０２０年にいわゆる「サブリース新法」が施行されました。サブリース契約のトラブルを未然に防ぐためのルールが法律でも規定されたとはいえ、不動産を購入する際には慎重に見極めるべきポイントの１つであることは変わりません。

3-3 東京大改造はまだまだ終わらない！

東京オリンピックを契機にとして東京の主要エリアでは盛んに再開発が行われ、交通インフラの整備も進みました。ただ、オリンピックが終わっても、東京大改造ともいえる大規模再開発による街の進化と魅力の向上はまだまだ止まりません。

続々とすすむ東京の再開発

ここで代表的な東京の再開発、交通インフラの整備についてまとめます。

(1)品川開発プロジェクト

２０２０年3月、山手線に約半世紀ぶりに新駅が誕生しました。品川と田町の間にできた「高輪ゲートウェイ駅」です。新国立競技場を手がけた隈研吾氏のデザインによる駅舎

東京再開発マップ

都心の主な再開発計画

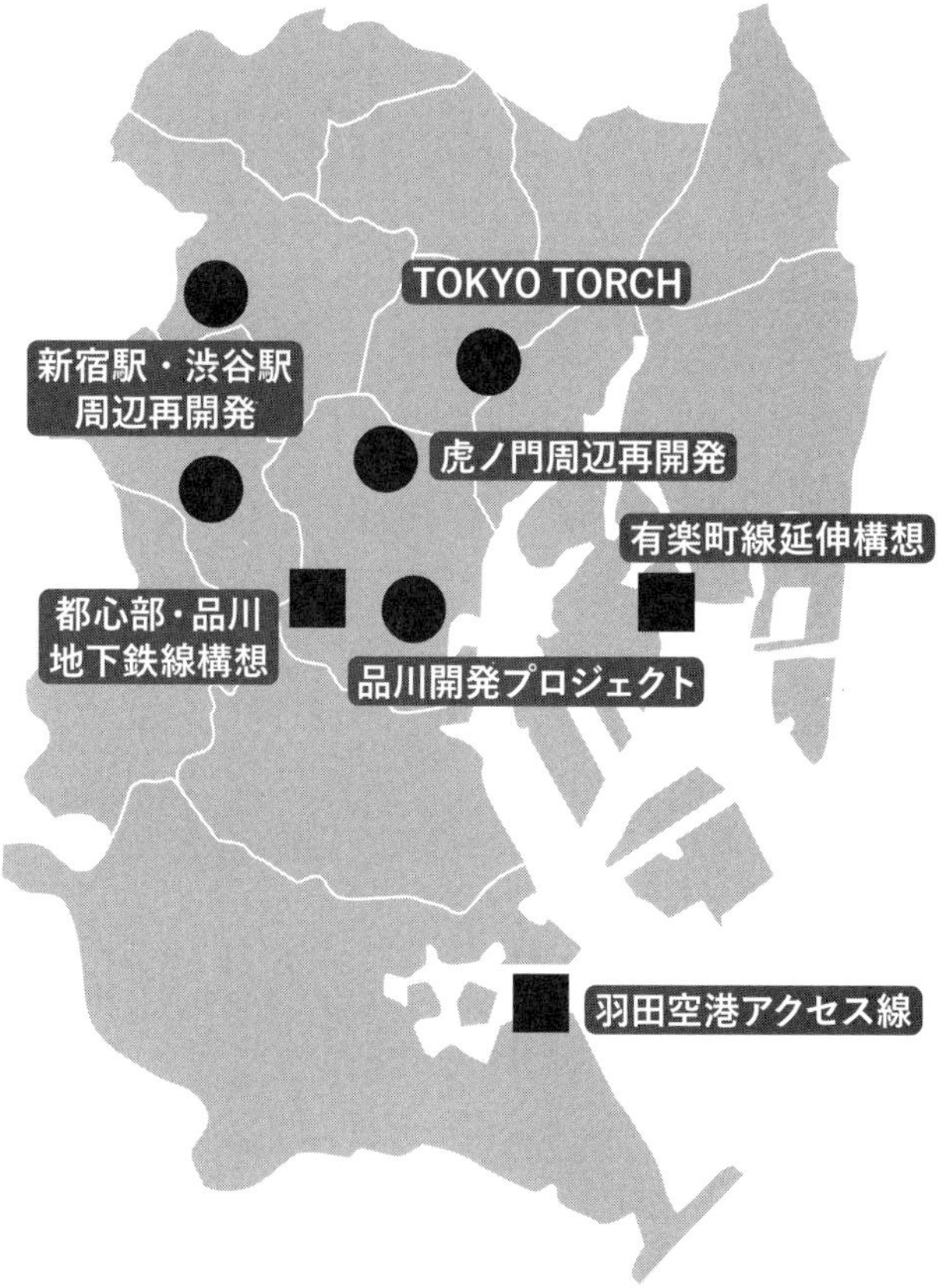

や、ＡＩ案内、無人コンビニなどの新しい取り組みが多く、開業前から話題となっていました。

とはいえ、新駅誕生の真の価値は交通アクセスが便利になることではありません。それは、駅と街が一体となった大規模再開発です。

高輪ゲートウェイ駅周辺の開発の目玉は、ＪＲ東日本が車両基地跡地に建設する「品川開発プロジェクト（Ｉ期）」。９・５ヘクタール、東京ドーム１・５個分の敷地を４街区に分けて、オフィスビルや文化施設など計5棟を開発します。

高輪ゲートウェイ駅前には、地上30階のツインタワーが建ちます。大規模なオフィスフロアはもちろん、多種多様な業種の方が共有して使用できるシェアオフィスや、国際会議も可能な大型の会議施設が入る予定です。国内外のビジネスパーソンが行き交う場となることが期待されています。

開発の総延床面積は85万1０００平方メートルで、六本木ヒルズの総延床面積72万平方メートルを上回る規模です。２０２４年の街びらきに向け、ＪＲ東日本が威信をかけて進める総事業費は５０００億円にのぼります。

高輪ゲートウェイからわずか徒歩４分の距離には京急線・都営浅草線の泉岳寺駅があり

ます。隣り合うこの駅周辺でも再開発が進行中です。旧・京急本社ビルの跡地を、東京都が主体となって開発。オフィス、住居、子育て支援施設が入った延べ11万平方メートルの複合施設が２０２５年に誕生します。地下では泉岳寺駅のホームを拡張し、利便性の向上が図られるようです。

国道15号線を挟んだ向かい側では、住友不動産が１０００億円規模の資金を投じます。地下鉄駅から泉岳寺までのエリアを、地上41階のタワーマンションを含めた３棟を整備、こちらも２０２４年度中の完成を目指しています。

高輪ゲートウェイ駅から見て南西側、品川駅の西口には、ホテルや商業施設が広がっています。一帯を所有する西武ホールディングスは４０００億円をかけてこのエリアをオフィスビル、商業施設、ホテルで構成する複合施設に再開発する意向です。

さらに京急品川駅の地上化工事に伴う駅ビル再開発や、駅と西側エリアを一体化させる広場空間として国道15号線の上空に広大なデッキを作る構想もあります。これらはリニア中央新幹線の開業が予定される２０２７年に向けて進められる見込みです。隣接する高輪ゲートウェイ駅と併せて、オフィスやレジャー、また住まいとしてもエリアの魅力は高まるでしょう。

これらを含めた周辺開発の総事業費は、判明しているだけで1兆円に上り、その経済効果は1兆4000億円とも試算されています。

(2)虎ノ門周辺の再開発プロジェクト

新駅が誕生したのは山手線だけではありません。虎ノ門ヒルズで有名な虎ノ門周辺にも2020年、東京メトロ日比谷線の新駅「虎ノ門ヒルズ駅」が完成しました。もともと虎ノ門ヒルズ（森タワー）は、最寄り駅の銀座線虎ノ門駅、日比谷線神谷町駅、都営三田線内幸町駅・御成門駅、いずれの駅からも300メートル以上離れており、今回の新駅設置でより利便性が向上。2020年に竣工した虎ノ門ヒルズ ビジネスタワーに続き、2023年には駅直結の虎ノ門ヒルズ ステーションタワーも竣工予定で、区域面積7・5ha、延床面積80万平方メートルのビジネスやイノベーションの拠点となります。

また、すぐ隣の神谷町駅では、虎ノ門・麻布台プロジェクトも進行中です。2023年には高さ日本一となる約330メートルのメインタワーを筆頭に、計3棟のビルと4つの付帯施設が竣工する予定です。開発主体の森ビルが「(六本木)ヒルズの未来形」と語るほど力の入った同プロジェクトは、総事業費5800億円。延床面積約86万平方メートルの空間にはオフィスや住宅、ホテル、文化施設のほか、約１５０にも及ぶ店舗などが入る計画です。オフィス就業者数は約２万人、住宅居住者数は３５００人を予定し、いずれも六本木ヒルズを上回る規模であるほか、敷地全体の３分の１が緑地なことも相まって大勢の人が集う人気スポットとなるでしょう。

（3）TOKYO TORCH（東京駅前 常盤橋プロジェクト）

２０２１年7月、東京駅日本橋口にひときわ巨大な高層ビルが開業しました。名前は「常盤橋タワー」。地上38階・地下5階で、高さは約２１２mと現時点では東京駅周辺のどの建物にも負けない高さを誇っています。延べ床面積14万６０００平方メートルの建物内にはオフィスエリアに加え、地下1階〜地上３階は商業エリア「TOKYO TORCH Terrace（トウキョウトーチテラス）」が設けられ、飲食店などが軒を連ねています。そのほか、桜や芝生を取り入れた３０００平方メートルの広場も誕生しました。

TOKYO TORCHはこれだけでは終わりません。常盤橋タワーの隣には２０２７年度、高さ３９０メートル、地上63階の「Torch Tower」が建つ予定です。現在、日本で一番高い商業ビルは大阪のあべのハルカスで３００メートルですが、それをも上回る「超」高層ビルの誕生です。もちろん高さは日本一になります。三菱地所が世界に誇る日本の新たなシンボルと位置づけて建設するこのタワーには、高層階に約100室の高級ホテル、中層階にオフィス、また低層階に約2000席の大規模ホール、約4500坪の商業ゾーンなどが整備される計画です。

2つのタワー間には約7000平方メートルの広場が整備され、イベントでの活用はもちろん、災害時の支援拠点としての機能も併せ持ちます。

常盤橋タワーだけでも約8000人の就業者を収容可能なオフィス面積を有しています。また、東京の玄関口である東京駅のほか、地下鉄5路線が集約した大手町駅とも地下通路で直結。将来的には八重洲や大手町、丸の内、日比谷だけでなく、東京メトロ日本橋駅方面へも地下歩行者ネットワークが形成されます。

(4)渋谷駅・新宿駅周辺再開発

再開発が進むのはビジネス街だけではありません。都内有数の文化の発信地である渋谷や新宿の駅周辺でも次々と再開発が進んでおり、さらに魅力的な街へと進化を遂げつつあります。

渋谷駅周辺では、東急グループらが「日本一訪れたい街」にすることを掲げ、主に９つの再開発プロジェクトを進めてきました。２０１２年には渋谷駅東口に地上34階、高さ１８２・５メートルの複合高層ビル「渋谷ヒカリエ」が２０１２年にオープン。これを皮切りに、２０１７年には商業施設やオフィス、賃貸住宅を構える「渋谷キャスト」、２０１８年には「渋谷ストリーム」「渋谷ブリッジ」、２０１９年には「渋谷フクラス」「渋谷ソラスタ」に加え、渋谷駅の直上には渋谷の新たなランドマークとなる地上47階建ての「渋谷スクランブルスクエア・東棟」がオープンしました。

渋谷駅周辺の再開発は今も続いており、２０２３年度には渋谷駅の南西側にあたる桜丘口地区の２・６ヘクタールの土地に商業施設やオフィス、賃貸住宅のほか、多言語対応の医療施設や子育て支援施設、生活支援施設、起業支援施設などを備えた２つの高層ビルが誕生します。さらに２０２４年度には渋谷ヒカリエに隣接する形で地上23階建ての複合施設が完成、２０２７年度には渋谷スクランブルスクエアの中央棟・西棟が開業する予定です。

日本一の乗降者数を誇る新宿駅周辺でも「大改造」の動きがあります。２０２９年度までに、新宿駅西口に隣接する小田急百貨店のビルなどを、高さ２６０メートル・地上48階の大規模複合ビルに建て替える計画です。東口の駅ビルも建て替えを検討中で、同じく高さ260メートルのビルが予定されています。

今は比較的低層のデパートとなっている新宿の駅ビルですが、虎ノ門ヒルズを超えるツインタワーが駅を挟んで立ち並ぶようになるのです。

新宿駅西口ロータリー前の明治安田生命新宿ビルがある街区でも、6棟の既存ビルの取り壊しが進められています。中層オフィスビルが建ち並ぶエリアでしたが、2025年には、高さ130メートル・地上23階の大規模オフィスビルに生まれ変わります。

これらのビルも含め、駅周辺は「新宿グランドターミナル」構想によって、今後2040年代を目指して連続的に再開発が始まります。1960年代から発展してきた新宿駅周辺には築50年を超えて老朽化したり、活用が不十分だったりするビルが多く存在します。

それらを建て替えながら、利便性を高め、ビジネスや文化の交流拠点を作るビジョンが描かれています。

ここまで紹介した以外にも、池袋や新橋、五反田など東京23区内では今後も大規模再開発が目白押し。日経不動産マーケット情報によれば2021年以降に予定される大規模オフィスビルは99棟、総延床面積は１００８万平方メートルにも及びます。

これらの再開発がエリアの魅力を高め、就労人口を増やし、５年後、10年後にも賃貸の需要を生み出し続けるのです。

(5)再開発を加速させ、都内各地の魅力を底上げする新線計画

ここまでご紹介してきた再開発ですが、こうした都内各地の発展には交通インフラの整備が欠かせません。東京では現在、地下鉄や空港へのアクセス線など様々な新線の計画が進行しています。まずは、地下鉄新線プロジェクトを見てみましょう。

このプロジェクトは２０２７年度に東京メトロが完全民営化することにあわせ、東京都が国交省に対して、「有楽町線の延伸」「都心部・品川地下鉄線」「都心部・臨海地域地下鉄線構想」の3路線の建設を要請。その是非が議論されています。

３つの新線のうち、有楽町線の延伸区間は、有楽町線豊洲駅から半蔵門線住吉駅までの約5キロの区間を繋ぎます。有楽町線は東武東上線や西武池袋線、半蔵門線は東武スカイツリーラインとそれぞれ直通で運転していることから、利便性の向上が期待されます。国交省の試算によると、利用客数１日当たり27万３０００人～31万６０００人を見込んでお

り、この数字は建設費に照らし合わせると十分元が取れる数字です。

２つ目の都心部・品川地下鉄線は、東京メトロ南北線・都営地下鉄三田線の白金高輪駅から分岐し、品川駅に至るルートです。品川駅はリニア中央新幹線の発着予定駅でもあり、羽田空港への広域的な交通結節点ですので、都心部と各地との広域ネットワークのハブとして、さらなる効果が期待できます。

もう1つの都心部・臨海地域地下鉄線構想については、現在秋葉原駅止まりのつくばエクスプレスを東京駅まで延伸させ、東京駅から銀座を経て豊洲・有明など臨海部に向かうルートとなっています。ただ、専門家による委員会では、臨海地域地下鉄線構想については「ほかの2路線と比較し熟度は低い」とされていますので、これからさらに議論が深まっていくことを期待したいところです。一方で、前述の2路線については実現に向け「相当有効な事業」と指摘されており、現段階では2路線についてはかなり実現度が高いと言えるでしょう。

都内の新線計画の動きはこれだけではありません。２０２９年度の開業を目指す「羽田空港アクセス線」は、東京駅から羽田空港に建設される新駅までをつなぐ路線です。現状では浜松町駅でモノレールに乗り換え30分近くかかるところを、直通で約18分にまで短縮できます。さらに、上野東京ラインにつながることで、上野や赤羽、大宮のほか、日暮里、北千住など、宇都宮線や高崎線、常磐線からも羽田空港へダイレクトにアクセスできるようになるのです。

さらに、横浜市では２０２２年度下期に開業を予定する「相鉄・東急直通線」の建設が着々と進んでいます。この路線は東急線日吉駅と相鉄・ＪＲ羽沢横浜国大駅との間、約10ｋｍの連絡線を新設する予定で、これにより神奈川県央部や横浜市西部と渋谷など東京都心部が直結。これまで以上に東京都心部を中心とした広域ネットワークが形成されます。

これ以外にも、新線の建設ではないですが、京王線「笹塚」駅～「仙川」駅間の約７・２ｋｍの高架化が２０２２年に完成予定で、駅前の再開発も予定されています。

そもそも地方では多くの鉄道が廃線や休線、減便となるなか、これだけ様々な新線の計画が同時に進行する場所は東京だけと言っても過言ではありません。新線の開通と新駅の誕生により交通網がさらに充実することで、再開発が加速し、人が集まり続ける都市が東京です。

勝ち馬に乗る！　東京は空室解消の好循環ができている

東京は国内から、そして世界からたくさんの人を集めており、さらに魅力を高める再開発が盛んに行われています。わたしが不動産投資の立地として東京をおすすめするのは、人口が最も多い点や再開発が盛んに行われているという断片的なことではありません。それぞれの要素が良い影響を与えあって東京に空室の早期解消という好循環をもたらしているからです。

人が集まれば、そこで生活していく消費活動が行われます。つまり人が集まるところに多くのお金が落ちるのです。そして、お金が落ちるところには、商売のチャンスが眠っていますから、さまざまな商業施設やインフラが整備されていきます。こうして商業施設などができれば新たに仕事が生まれます。そして、仕事を求めて、さらに全国から東京に人が集まってくるのです。

つまり、人が集まる↓お金が落ちる↓再開発が行われる↓仕事が増える。そして人が集まる、という好循環が完成しているのです。

人が集まる場所に投資をするのは、不動産投資で成功するための鉄則です。だからこそ、一貫してわたしは東京の不動産投資をおすすめします。

第4章

不動産投資で成功するための中古ワンルームの選び方

4-1
31年間ワンルームにこだわってきた理由

わたしがワンルームに特化してきたのには理由があります。ワンルームは空室リスクが少なく、ランニングコストも安くすむからです。

2LDK、3LDKといったファミリータイプのマンションを投資対象としている方もいますが、空室期間、リフォーム費用、内装工事期間、投資利回り、リスク分散、あらゆる面でファミリーマンションよりもワンルームのほうがすぐれています。

空室期間が少なく、出費も少額

例えば、東京23区内のワンルームの場合、わたしの会社では平均1か月ほどで次の入居者を見つけることができますが、ファミリーマンションとなると、引っ越しシーズンのピークを逃すとなかなか決まりません。ワンルームは1人で住むので意思決定権者も1人ですから、スピーディに物件の入居が決まります。

ファミリーマンションだと、ご主人は勤務先の近くが良いといい、奥様は日当たりやキッチンの大きさや使い勝手、そして子どもの学区や病院なども問題になり、簡単には決まりません。そもそも現在の住宅ローンは変動金利で0・5％前後まで下がっており、同じ広さのファミリーが住めるお部屋を選ぶなら、借りるよりも購入したほうが毎月の住居費は安くなることがほとんどです。ファミリーマンションを借りようとする層が、ワンルームに比べて圧倒的に少ないのです。

そのほか、入居者が退去した後のリフォーム工事もファミリーマンションのほうが高額になります。単純にワンルームと比較して3倍以上の広さはあるので、壁識や床材も修繕箇所もそれだけ多くなり、エアコンも部屋の数だけ必要になるので、交換時期が重なれば大変な出費です。ワンルームの場合、数万円から10万円程度の工事費用ですむものが、ファミリーマンションともなると、30万円から50万円になることも珍しくありません。

次に入居者募集で苦戦する、なかなか空室が埋まらない物件の特徴をまとめましたので参考にしてください。

空室が埋まらない物件の特徴

- 徒歩 15 分以上の物件
- 新宿歌舞伎町など特殊繁華街にある物件
- バルコニーのない物件
- 室内洗濯機置き場のない物件
- 15 平方メートル以下の狭小物件
- オートロックのない物件
- 騒音がひどい物件
- 旧耐震法の物件
- 高額家賃の物件

4-2 物件の特徴を理解しよう！築浅物件とバブル期物件

ひとくちに中古マンションといっても、その分譲年によって間取りや設備は異なってきます。分譲年数によって、中古ワンルームは築浅物件とバブル期物件に大別できます。

主に２０００年以降に建築された比較的築年数の浅いワンルームマンションはバスとトイレが分かれており、室内の広さも20平方メートルから25平方メートルと広めの設計です。また、設備面でも充実しており、インターネット回線やケーブルテレビが付いてくる物件もあります。物件価格は２０００万円～３０００万円程度、家賃収入から毎月の経費を差し引いた手取り利回りは４％前後です。

一方、１９９０年前後のバブル期に分譲されたワンルームマンションは、バスとトイレが一体型の「３点ユニットバス」が取り付けられた物件がほとんどです。室内の広さも16平方メートルから19平方メートルと築年数の浅い物件に比べて狭くなっています。部屋面積の都合上、キッチンが電熱式であったり、ミニ冷蔵庫が備え付け、洗濯機置き場が後からの増設といった物件もあったりします。一方で、物件価格は築浅物件と比べると安くなり、物件価格は1000～1500万円程度、手取り利回りは4～5％です。ただし、金融機関によっては、バブル期物件は法定耐用年数との兼ね合いで、融資可能期間が短くなる可能性があるので、借入れをして投資を始める場合には考慮しておく必要があります。

築浅物件は、手取り利回りの数字こそバブル期物件より少し劣りますが、その分設備が優れているので入居者からの人気が高く、比較的空室が早く埋まりやすいのが特徴です。

もちろん、バブル期物件でも駅近などきちんと立地を見極め、相場の家賃で募集すれば入居者はつきます。バブル期物件と築浅物件の比較は、次の表のとおりです。

最新設備なら将来交換する必要もない

最近つくられているワンルームはますます設備が充実しており、独立洗面台がついているマンションも珍しくありません。室内がグレードアップして、居住性が向上しているほか、共用部にも宅配ボックスが設置されるなど、現在の時流にあった設備がもともと備えつけられています。よって、大きな設備交換の必要性もなく、その分、将来の修繕コスト

バブル期物件と築浅物件の比較

	バブル期物件	築浅物件
エリア	大田区、世田谷区、杉並区、中野区、豊島区、練馬区など準都心、横浜、川崎	千代田区、中央区、文京区、品川区、渋谷区、新宿区などの都心
価格帯	1,000 万円～1,500 万円	2,000 万円～3,000 万円
賃付	50,000 円～70,000 円	80,000 円～100,000 円
利回り	手取り利回り 4％～5％	手取り利回り ４％前後
広さ	16～19 ㎡	20～25 ㎡
建物設備	オートロック、３点式ユニット、洗濯機置き場	オートロック、バス・トイレ別、洗濯機置き場、インターネット回線、CATV、収納スペースの充実、ガスコンロ、フルタイムロッカー、防犯カメラ

も抑えることができます。また、一般的にバブル期物件と比べ入居者が決まりやすい傾向にあります。

ただ、バブル期物件でも必要に応じて室内のリノベーションを行うことで、空室期間の短縮や賃料アップなどを実現することができます。リノベーションといってもすべて100万円、200万円といった単位の費用がかかるわけではありません。わたしの会社では投資用物件という観点から、あらかじめプランをパッケージ化することで20平方メートル以下のワンルームで基本費用50万円未満に抑えたリノベーションプランがありますので、そうした選択肢もあることを考慮に入れておくと良いでしょう。

ワンルーム開発規制条例でさらにプレミアム化？

現在、東京23区すべての自治体で、ワンルームの建設を規制する「ワンルームマンション開発規制条例」が制定されています。代表的な規制が「最低面積の規定」です。「これは、マンションを建設するにあたり、1戸あたりの最低専有面積を定めたものです。渋谷区では2013年に最低面積を18平方メートルから28平方メートルへと大幅に引き上げました。

2011年には、中野区、大田区、練馬区、足立区が最低専有面積を25平方メートルへ引き上げています。

ワンルームの一般的な専有面積は18平方メートルから25平方メートルですから、まさにワンルームをねらい撃ちにしたものです。

規制が強化されているのは、最低面積だけではありません。ファミリータイプ住戸の設置条件も強化されています。

例えば、渋谷区ではファミリータイプの基準が39平方メートル以上から50平方メートル以上へと引き上げられました。総戸数60戸のマンションの場合、ファミリータイプの住戸を商業地域では15戸以上、そのほかの地域では23戸以上設置することが義務づけられています。ディベロッパーにとっては、供給数が多くとれるワンルームに対してファミリータイプの割合が増加すると、収益性が悪化することになります。

また、東京23区のなかで豊島区では、建築されたワンルームに対して課税するという「ワンルームマンション税」を唯一導入しています。専有面積30平方メートル未満の住戸が9戸以上あるマンションを建てる場合、1戸あたり50万円が課税され、着工から2か月以内に支払わなければなりません。

そのほか、ワンルーム規制を「指導要綱」から「条例」に格上げするなど、さまざまな点から規制が強化されています。

新規供給が先細る一方で、新宿、渋谷、品川といったビッグターミナルへの交通が便利な立地の賃貸需要は相変わらず旺盛なので、限られた数の好立地の優良な中古のワンルームに入居希望者が殺到することになります。

規制の強化もさることながら、東京23区内で最寄り駅から近く、ワンルームの建設に適した土地の供給自体が少なくなっています。コロナ禍で減速はしたものの、分譲マンション建設に適した立地はホテル建設需要とも競合するので、土地の仕入れは苛烈を極め、建設原価はますます高騰します。

厳しくなる開発規制、手に入れにくいワンルームマンションに適した土地。2つの理由から好立地での新規供給は減少していますが、23区内の駅から近いワンルームは、入居者からの人気は相変わらず高く、安定した賃貸需要が見込めます。

4-3 投資利回りの裏を読む

不動産投資における利回りも、鵜呑みにしてしまうと物件の本来の収益性を見誤ることがあります。

そこで、一般にはあまり知られていない投資利回りの本当の読み解き方をお伝えしましょう。

想定利回りは不動産会社の都合で決められる

新築の投資用マンションや入居者がいない空室の物件を販売する際に使われるものが想定利回りです。想定利回りだけでは物件の収益性を見極めることはできません。

なぜなら、想定利回りを計算する際の家賃額は不動産会社が決めているため、その収入額が確定しているわけではないからです。

なかには、想定利回りの根拠となる家賃が、相場よりも高く設定されていることもあります。こうした場合、顧客に約束した想定利回りを守ろうとするあまり、相場よりも高い家賃のままで募集を続けて、いつまでも空室が埋まらないというケースもあります。

想定利回りが使われている場合には、収入の前提となる家賃が周辺相場に見合っているか必ず確かめる必要があります。

現在の家賃相場で利回りを計算する

入居者がいる投資物件でも、手取り利回りが物件の収益性を正確に表しているとは限りません。なぜなら、現在住んでいる入居者の家賃と周辺相場の家賃に差があることがあるからです。

例えば、建築時から10年間同じ入居者が住み続けていた場合、新築当初の高い家賃で、手取り利回りが計算されている可能性があります。当然新築時の家賃と築10年の家賃とでは、新築物件時の家賃のほうが高くなります。仮にこの入居者が退去したとすると、次の入居者は築10年の物件の相場家賃で募集するので、利回りが下がることが予想されます。

利回りを見る際には、いつから入居者が住んでいるのか、周辺家賃相場との開きがないのかなどをしっかりと確かめておくことが大切なのです。

修繕積立金は値上がりする

手取り利回りを計算する際に、家賃収入から差し引く修繕積立金は、将来値上がりする可能性があります。それによって、将来の手取り利回りが下落する可能性があります。

新築物件を販売する際に手取り利回りを高く見せるために、あえて修繕積立金が低く抑えられていることがあります。

国土交通省による修繕積立金の目安は1平方メートルあたり３３５円です。20平方メートルのワンルームであれば、６７００円が目安になります。

今はまだ低く抑えられている投資物件でも、大規模修繕工事にそなえるために、いずれは1平方メートルあたり３３５円程度まで値上がりすることが考えられます。それによって、将来の利回りが下がることがあることも十分考慮しておきましょう。

手取り利回りの計算法

$$\text{手取り利回り} = \frac{\text{年間家賃収入} - \text{年間諸経費}}{\text{物件価格}} \times 100$$

家賃収入から差し引く費用（年間諸経費）

①管理費
②修繕積立金
③賃貸管理代行手数料

入居者がいなければ利回りは机上の計算である

利回りは1年間を通じて満室経営であることを前提に計算されています。そのため、年の途中で空室が発生すれば、当初の利回りを実現することができません。つまり、いくら高い利回りであっても、賃貸需要の少ないエリアの物件の場合は、利回りどおりのパフォーマンスを発揮する可能性が低くなります。

さらに、賃貸需要の少ないエリアの場合は、敷金や礼金を取れなかったり、入居者をつけるために仲介会社にオーナーが広告料を支払ったり、入居後の一定期間中の家賃が無料になるフリーレントをつけなければいけないこともあります。

相対的に低い利回りの物件であっても空室リスクが少なく賃貸需要の高いエリアにある物件のほうが、かえって高いパフォーマンスを発揮することができます。

目先の高い利回りの物件に飛びつくのではなく、賃貸需要まで冷静に見極めて投資物件を選びましょう。

4-4

建物管理の履歴書「重要事項調査報告書」で管理状況を確かめる

利回りだけで物件を選んで失敗することがあるように、不動産には目に見えない情報がたくさんあります。もし、あなたがネット上の収益物件サイトで利回りを検索条件にして物件を選んでいるようであれば気をつけてください。

それが中古のマンションであればなおさらです。過去の修繕の履歴、将来実施する修繕計画、修繕積立金の積み立て状況、マンションオーナーの管理費や積立金の滞納状況など、さまざまです。実際に、築20年近くたつのに、一度も大規模修繕が行われていない物件や何百万円も管理費の滞納があるマンションなどがネット上では販売されています。

不良物件をつかまないコツ

こうした不良物件をつかまないようにするには、「重要事項調査報告書」を確認することです。

「重要事項調査報告書」は建物管理会社が発行するマンションの管理状況に関する重要なポイントをまとめた書面です。書面には、修繕積立金の積立て状況や過去の修繕履歴、管理費の滞納状況などが端的にまとめられています。

これ1枚があれば、ほぼマンションの管理状況がどうなっているかがわかります。この書類は建物管理会社に依頼すれば取得することができますが、通常は購入を検討している不動産会社を通じて取得します。

こちらからなにもいわなければ、もらえないケースもあるので、マンションを購入する前には必ず手に入れて現況を確認しておきましょう。

なお、重要事項調査報告書でも最新の管理状況については書かれていないことがあり、絶対ではありません。不動産会社を通じて、現在の管理状況がどうなっているのか、入居者はどんな人が入っているのかも含めて確認しておきましょう。

4-5

はじめての投資用物件は「売主」から買う

では、こうした中古ワンルームに興味を持った場合、どのように購入すればよいのでしょうか。不動産会社を通じて購入するには「仲介」と「売主」の2つがあります。

仲介のケースでは、不動産会社は買主と売主の間に立ち、契約が成立するよう仲立ちをします。そして、契約が成立した際には、不動産会社に手数料を支払う必要があります。

仲介手数料の計算式

仲介手数料がどのように計算されるかを示しておきましょう。これは次のように法律で決まっています。

400万円超の物件：不動産価格×3％＋6万円

200万円超から400万円以下の物件：不動産価格×4％＋2万円

200万円以下の物件：不動産価格×5%

いずれも消費税が加算されます。２０００万円の物件を購入した場合、２０００万円×３％＋６万円に消費税が加算され72万６０００円になります。

一方不動産会社から物件を購入する場合、契約の相手方は不動産会社自身です。不動産会社自身が売主ですので、仲介手数料は一切かかりません。

両者は仲介手数料の有無だけではなく、物件の欠陥、すなわち瑕疵担保責任の範囲に関しても違いがあります。

売主が個人か法人かで、契約不適合責任に差がある

契約不適合責任とは、売買契約において商品に品質不良や品物違い、数量不足などの不備があった場合に、売主が買主に対して負う責任のことです。不動産の場合、例えば購入から数か月たって雨漏りが生じてきたとか、柱がシロアリに食い荒らされていた、隠れたキズがあった場合などが当てはまります。

売主が個人の場合は契約不適合責任の期間を引渡しから数か月、場合によっては契約不

適合責任自体を負わないという特約をつけることもできます。契約不適合責任の条項が契約書にない場合、買主がその不適合を知ったときから1年以内に通知をすれば責任を問えますが、不適合を知ったときから5年または引渡しを受けてから10年経過すれば時効によって消滅しますので注意が必要です。

一方、売主が不動産会社である場合、責任をとらなければならない最低限の期間は2年と定めています。責任期間から単純に比較すると、売主から購入するとしても、売主個人より不動産会社から購入するほうが買主にとっては有利であると言えます。

そのほかにも、インターネット上では仲介物件が多数掲載されていますが、なかにはオーナーが毎月納める必要がある管理費や修繕積立金を滞納しているマンションや定期メンテナンスが不十分なマンション、大規模修繕工事を実施していない築古マンションなどが平気で売られています。

こうした物件を知らずに購入してしまうと、大きなトラブルのもとになります。不動産投資を始めようという方は、物件は仲介ではなく売主から、不動産会社の売主から買うことをおすすめします。

なお、家賃収入を安定して得るには、

・空室が発生したらすぐに次の入居者を見つけてくれること
・家賃を毎月しっかりと回収してくれること
・入居者の生活トラブルにもすぐに対応してくれること

などの管理が重要になります。購入後の管理の質によって、将来得られる家賃収入の総額も変わります。売主であっても、物件を売っておしまいの会社ではなく、販売後の管理もきちんと行ってくれる不動産会社を選ぶことが大切です。

第5章

不動産投資の成功の法則「レバレッジの黄金率」を活かせ！

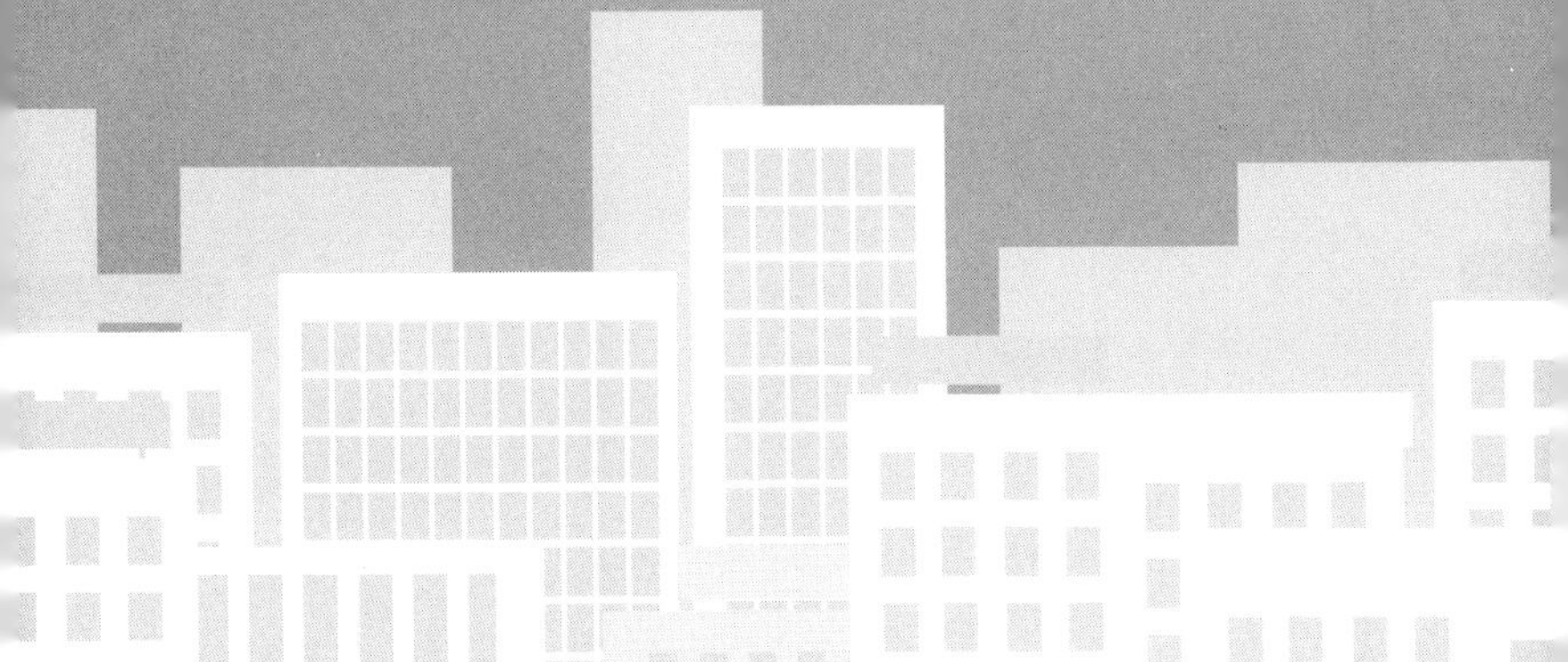

5-1

ローンは活用次第で資産形成の武器になる

ほかの資産運用商品と異なり、不動産投資はローンを利用できるという特徴があります。手元に投資用マンションを購入するだけの資金がなくても、ローンを利用することで不動産投資を始めることができます。

これから不動産投資を始めようという方のなかには、借金はこれまでまったくしたことがない人もいるのではないでしょうか。そういう方ほど、「借金は怖い」「借金だけはしてはいけない」と考えているかもしれません。

借金は怖いからといって、まったく借入れを利用しなければ、現金で投資用マンションを購入することになります。東京の中古ワンルームの現在の価格は1000万円から3000万円ですから、これだけのお金をいちから貯めようと思うと果てしなく時間がかかってしまいます。これではいつまでたっても不動産投資を始めることはできません。借金は怖い、かといって投資するだけのお金も貯められない……。ではどうやって不動産投資を始めればよいでしょうか。この答えこそが、この本でもっともお伝えしたいローンを活用した資産形成の法則「レバレッジの黄金率」です。

レバレッジの黄金率とは？

レバレッジの黄金率は資産形成のスピードを加速させ、金利上昇リスクにも対応することのできる借入れ比率です。このレバレッジの黄金率を用いた投資法をいったんマスターしてしまえば、あとは借入れ比率を意識するだけでマンションをどんどん増やしていくことが可能です。

具体的には、次の状態をレバレッジの黄金率と呼んでいます。

①ローンのないマンションが2戸、ローンのあるマンションが1戸ある状態

②借入れ比率40％以下を維持した状態

②については後述しますが、いったんこの形ができれば、あとはマンションから得られる家賃収入だけで、次から次へとマンションを増やしていくことが可能です。

レバレッジの黄金率を利用して物件を増やしていけば、給料以上の家賃収入をつくることも夢ではありません。実際に、サラリーマンとして働きながらレバレッジの黄金率を実践して給料以上の家賃収入を作り上げた方は少なくありません。

ただし、レバレッジの黄金率はすぐにでも毎月何十万円もの不労所得が自動的に入ってくるようなうまい話、儲かる話ではありません。あなた自身にも、ローンを繰上げ返済するための努力をしていただくことになります。

それでも、巷にあふれる誰が買うのかわからない暗号通貨や情報商材を使ったお金儲けの情報に振り回されて、先の見えない努力を続けるよりも、確実に資産形成を行うことのできるやり方です。その努力を続けることが、給料以上の不労所得を得るための近道になるのです。

「すぐにお金が欲しい、そして自分のお金はかけたくない」という人には向かない方法ですが、1年経過するごとに着実に、資産も、入ってくる家賃収入も増やしていきたいという方、そしてそのための努力ができる方には、この方法がまさにぴったりです。

サラリーマンの方が確実に資産を形成し、不労所得をつくるにはベストの方法だと確信しています。

5-2

知った人から始めている！
“見えない”資産拡大効果

レバレッジの黄金率を理解する前提として、ローンを組んでマンションを購入することが何をもたらすのか、正しく認識しておくことが大切です。

ローンを用いた不動産投資の良いところは、家賃収入による元本の返済を通じて、毎月着実に資産が拡大していくということです。後戻りすることはありません。常に資産が拡大していきます。子どもの学費がかかる時期やご両親の介護、また予期せぬ病気や怪我で支出が重なり、繰上げ返済の資金をねん出できない時期もあるでしょう。貯金で資産を作っていた場合には、お金を出さなければ当たり前ですが、資産が増えていくことはありません。不動産投資はたとえあなたが繰上げ返済という形でお金を出さなくても、資産が拡大していくのです。

それでは、わたしたちが直近でご紹介したマンションを事例に、ローンの資産拡大効果について確認していきましょう。

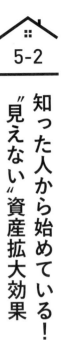

２０００万円の投資物件を10万円の頭金を投入し、残額をローンで購入したケースで考えてみます。別途諸経費が70万円かかるので、自己資金の額は合計80万円。この物件の月額手取り家賃収入は６７０００円、手取り利回りは４・０％です。

一方、ローンの借入期間は35年で借入金利は１・64％です。この時の毎月のローン返済額は６２３０５円で、手取りの家賃収入額６７０００円からローン返済額を差し引くと、毎月４６９５円が手元に残る計算です。毎月、目に見える形で増えていく金額は計算の通り、毎月およそ４５００円、年間では５６３４０円になります。２０００万円も借入れをして、手元に残るのは５６０００円余り。何だか少ないな、と直感的には思うかもしれません。

しかし、実際にはあなたの資産は年間48万円以上拡大しているのです。具体的にみていきましょう。毎月のローン返済額は、利息支払い分と元本返済分に分けることができます。第１回目のローン返済額の内訳をみると、利息支払い分は２７１９７円、元本返済分は３５１０８円となります。元本が返済されるということは、投資物件という資産に占めるあなたの持ち分が増えるということを意味しています。

目に見える資産拡大額は年６万円だが…

販売物件事例

資金収支表

物件価格	20,000,000 円	…①
家賃収入	77,000 円	…②
管理費	4,700 円	…③
修繕積立金	2,000 円	…④
管理代行費	3,300 円	…⑤
口振手数料	0 円	…⑥
月額手取収入	67,000 円	…⑦（②－③－④－⑤－⑥）
年間手取収入	804,000 円	…⑧（⑦×12）
表面利回り	4.62％	（②×12÷①）
手取利回り	4.02％	（⑧÷①）

購入条件

自己資金	800,000 円	諸経費　700,000 円 頭金　100,000 円
借入金額	19,900,000 円	
借入金利	1.64％	
借入期間	35 年	
返済金額	62,305 円	…⑨
月額収支	4,695 円	…⑩（⑦－⑨）
年額収支	56,340 円	…⑪（⑩×12）

目に見える資産拡大額（⑪）**56,340 円**

※計算を簡略化するため、シミュレーションには空室損、設備交換や修繕の費用、各種税金は含まれておりません。

資産と負債の関係を表すバランスシートを念頭においていただければ、資産が増えていくことを、よりイメージしやすくなります。資産にはマンションとそこから得られる現金が計上されます。一方で、負債には投資用ローンが計上されています。そして、資産から負債を差し引いたものが純資産です。毎月、負債である投資用ローンが元本返済とともに減少していき、資産の側にある現金は少しずつ増えていきます。すると資産から負債を差し引いた純資産は毎月大きくなっていくという仕組みです。つまり、元本返済額にあたる351０8円分だけこの1か月であなたの資産が拡大したことになります。

最初の1年間のローン返済額は約75万円になり、そのうちの元本返済額は42万4476円です。さきほどの手残り56340円と元本返済額を合計した48万0816円が年間の資産拡大額です。ローンを利用する際に投下した自己資金額は80万円でしたから、投下資金の半分以上もの資産がたったの1年間で拡大したことになります。

ローン返済額に占める元本返済分の割合は月を経るごとに増えていきます。投資用ローンは元利均等方式という返済方法を用いるからです。つまり資産の拡大スピードも少しずつ加速します。たとえば2年目の元本返済額は48万7830円です。

毎月の元本充当額＝資産の拡大額

① 返済金額 62,305 円 ＝ **② 利息 27,197 円** ＋ **③ 元本充当額 35,108 円**

回数	残高	返済金額	利息	元本充当額
1	19,900,000	① (62,305)	② (27,197)	③ (35,108)
2	19,864,892	(62,305)	(27,149)	(35,156)
3	19,829,736	(62,305)	(27,101)	(35,204)
4	19,794,532	(62,305)	(27,053)	(35,252)
5	19,759,280	(62,305)	(27,004)	(35,300)
6	19,723,980	(62,305)	(26,956)	(35,348)
7	19,688,631	(62,305)	(26,908)	(35,397)
8	19,653,235	(62,305)	(26,859)	(35,445)
9	19,617,789	(62,305)	(26,811)	(35,494)
10	19,582,296	(62,305)	(26,762)	(35,542)
11	19,546,754	(62,305)	(26,714)	(35,591)
12	19,511,163	(62,305)	(26,665)	(35,639)
13	19,475,524	(62,305)	(26,617)	(35,688)
14	19,439,836	(62,305)	(26,568)	(35,737)
15	19,404,099	(62,305)	(26,519)	(35,786)
16	19,368,313	(62,305)	(26,470)	(35,835)
17	19,332,478	(62,305)	(26,421)	(35,884)
18	19,296,595	(62,305)	(26,372)	(35,933)
19	19,260,662	(62,305)	(26,323)	(35,982)
20	19,224,681	(62,305)	(26,274)	(36,031)
21	19,188,650	(62,305)	(26,224)	(36,080)
22	19,152,570	(62,305)	(26,175)	(36,129)
23	19,116,440	(62,305)	(26,126)	(36,179)
24	19,080,261	(62,305)	(26,076)	(36,228)

1年目

元本充当額による資産拡大額　目に見える資産拡大額

424,476 円 ＋ 56,340 円

＝

480,816 円

2年目

431,490 円 ＋ 56,340 円

＝

487,830 円

※計算を簡略化するため、シミュレーションには空室損、設備交換や修繕の費用、各種税金は含まれておりません。

元々の自己資金80万円をほかの金融商品で運用して、たとえば単年で10％の利回りが出たとしても、増える資産は8万円です。これを考えれば、資産を毎年48万円以上増やすのは至難の業ですよね。

あなたの資産の拡大に貢献してくれたのは、入居者の家賃収入です。入居者の力でこれだけ資産が拡大しているのです。銀行という他人から借りたお金を、入居者という他人が払ってくれたお金で返済することで、あなたのお金が増えているわけです。

もちろん、この計算の前提には賃貸需要が安定しており、空室リスクの少ないマンションであることが必要です。空室リスクが高い投資物件の場合、資産の拡大の源泉となる家賃収入が途絶えがちになるので、ローンの返済も苦しくなります。

では、安定して資産を拡大していくためには、どんな物件を選べばよいのでしょうか。

それが、東京23区内の駅から徒歩10分以内のワンルームマンションなのです。

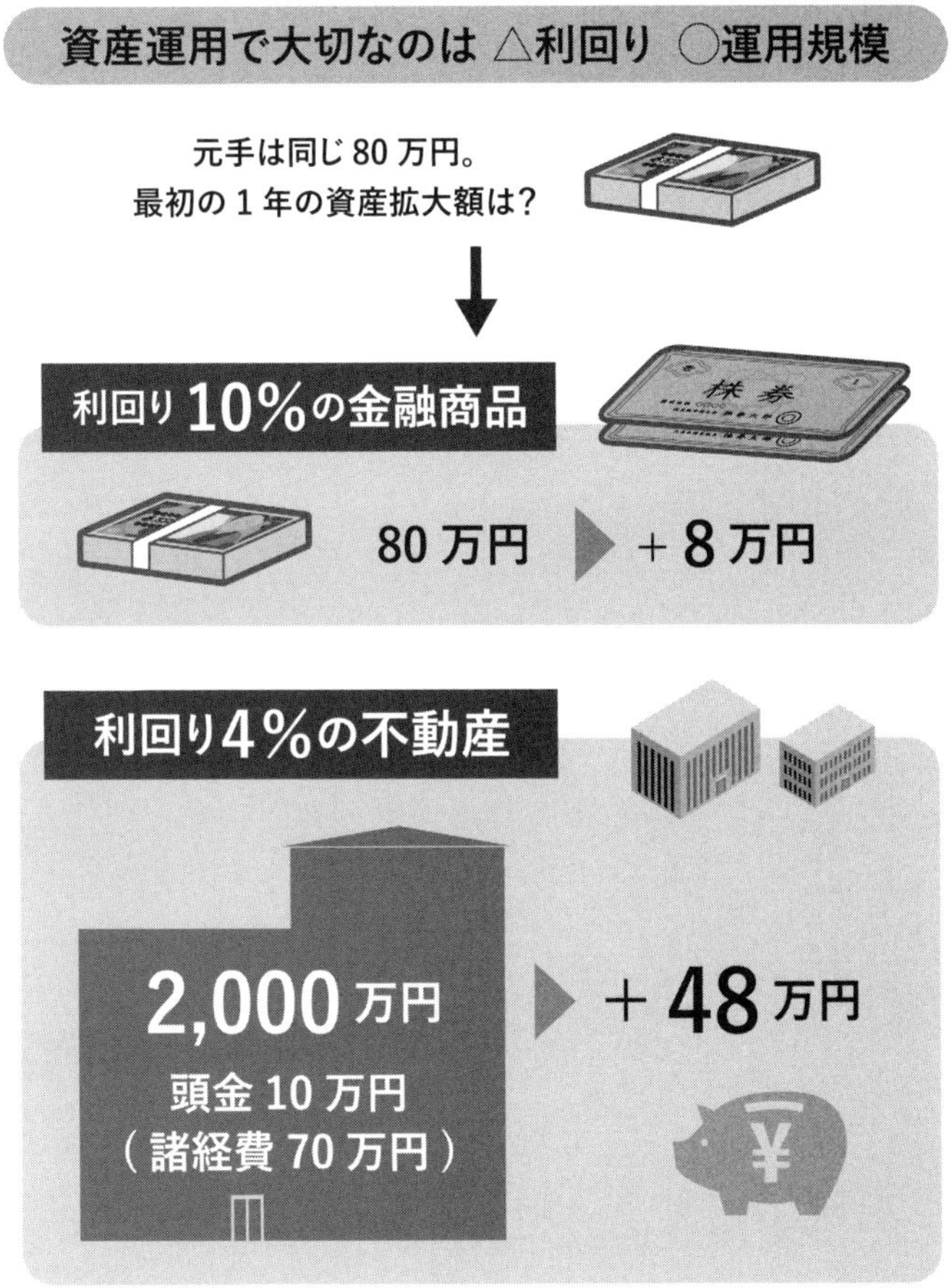
資産運用で大切なのは △利回り ◯運用規模
元手は同じ 80 万円。
最初の 1 年の資産拡大額は？
利回り 10％の金融商品
80 万円
＋ 8 万円
利回り 4％の不動産
2,000 万円
頭金 10 万円
（諸経費 70 万円）
＋ 48 万円

5-3

半分のお金、半分の時間でマンションが手に入る

ローンを組んでマンションを購入すると徐々に資産拡大していきますが、これだけだと欠点が2つあります。

1つは、時間がかかることです。何もしなければ返済が終わるまで35年を要します。もう1つは、それだけの期間、借金のリスクを背負ったままであることです。もし途中で金利が上昇したら返済が苦しくなり、不動産経営は行き詰ってしまいます。

ローンの金額が多ければ多いほど、見えない資産拡大の効果は高まりますが、一方でリスクも膨らんでしまうのです。

そこで大切なポイントが繰上げ返済です。あなたのお金を入れて、ローンを先に返してしまうのです。繰上げ返済をしたお金はすべてローンの元本の返済に充当されます。ローンの残額が減っていけばいくほど、金利上昇のリスクにも強くなります。

あなたと入居者、2人の力で返すから早い

『それでもやっぱり借金は怖いから、お金が貯まってからマンションを買いたい』

そう思われる方もいらっしゃるかもしれません。それはそれで悪くないのですが、あなたにとって一番大切な時間という資産を失うことにつながります。

たとえば２０００万円のワンルームマンションを、お金を貯めてから現金で購入する場合と、ローンを組んで同じ額で繰上げ返済をしていく場合で、比較してみましょう。毎月の給与から5万円ずつ、12か月で合わせて60万円を資産形成に使えるものとします。

現金で購入する場合はシンプルです。毎年60万円ずつ貯金をしていくと、いずれは２０００万円に到達し、マンションを買うことができます。ただし、それは33年4か月後です。

２０００万円全額をローンで購入し、毎年60万円で繰上げ返済を進めていくと、どうでしょうか。物件は前項と同じく手取り利回り４．０％で、借入金利１．６４％の35年ローンを組みます。シミュレーションをわかりやすくするため、空室や家賃下落、修繕費などの影響はないものとします。

この時、35年で組んだ２０００万円のローンは17年1ケ月で完済することが可能です。

使ったお金は60万円の17回分なので、1020万円です。同じ60万ずつ毎年使ったにもかかわらず、およそ半分のお金、半分の時間でマンションを手に入れることができました。

なぜマンションをローンで購入したほうが、早く2000万円の資産を作ることができたのでしょうか。それは、貯金が一人の力で資産を作っていたのに対して、不動産投資の場合はあなた自身の繰上げ返済と入居者の家賃収入という2人の力で資産を作っていたからです。

毎月のローン返済額は入居者からの家賃収入で賄うことができていたので、あなたのお金60万円はすべて元本返済に充てることができました。だからこそ、早くローンを完済することができたのです。

半分に縮まったとはいえ、1戸目のローンを返し終わるまでは時間がかかります。不動産投資ははじめの1戸の繰上げ返済が一番しんどいものです。先輩投資家たちも同じ道を辿ってきました。できるならあなた自身の努力で繰上げ返済をもっと早く進めましょう。月々5万円と夏冬のボーナスで20万円ずつ、合わせて年100万円を繰上げ返済できるなら、同じ条件の物件を購入すると13年でローンは完済できます。できるだけ早く、ローンのないマンションをまず1戸作るのです。

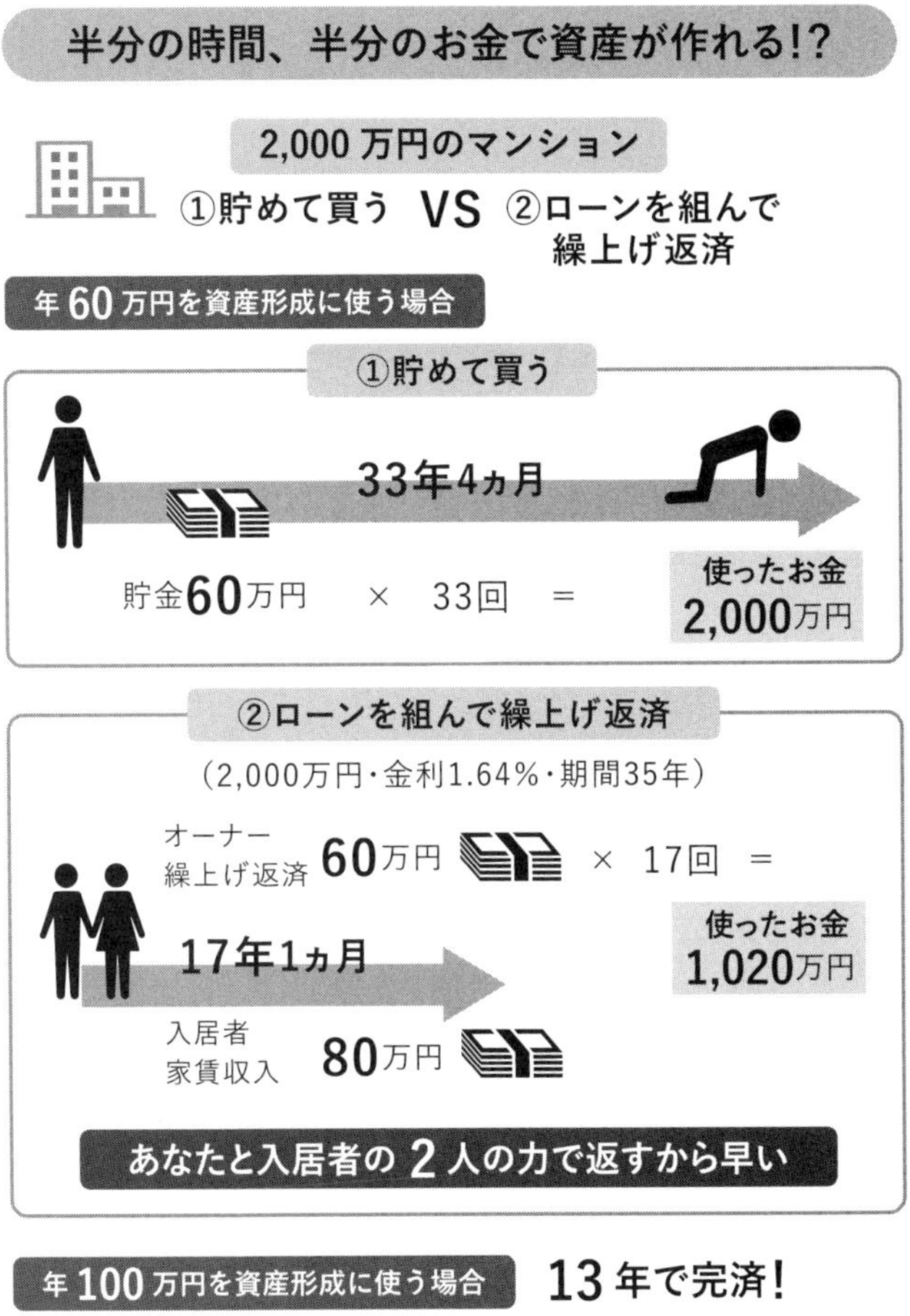

※物件の手取り利回り4%、手取り家賃収入は全額返済に充当した場合。
また、空室損や家賃の変動、関連経費はシミュレーションに含んでおりません。

2戸目から資産の増えるスピードは加速する

ローンを完済してしまえば、先ほどの1戸目のマンションから得られる家賃収入を丸々、次の不動産の購入資金やローンの返済にあてることができます。たとえば、1戸目を完済した後に同条件でマンションを購入し、1戸目の年間手取り家賃収入80万円とあなたのお金100万円、合わせて年180万円を毎年繰上げ返済に充てた場合、完済までの時間はどのくらいでしょうか。

当初35年で組んだこのローンは9年で終わってしまいます。あなたと入居者2人、つまり3人の力で資産を作ったのでさらにスピードが加速したのです。同じ期間で資産形成するにしても、大きな差がついてきます。さらに繰上げ返済に充てる資金を増やしたり、購入時にローンの頭金にする自己資金を増やせば、もっと完済までの時間を短縮することが可能です。2戸のローンのないマンションから得られる月の手取り家賃収入は13万円余り。これだけでも十分に生活を豊かにしてくれる定期収入ではあるのですが、この家賃収入を元手にすることで、あなたのお金を1円も使わなくてもさらに家賃収入を加速度的に増やすことができます。その考え方こそが「レバレッジの黄金率」です。

5-4 レバレッジの黄金率で物件を増やすシミュレーション

安全かつ加速度をつけてマンションを増やせる投資の考え方こそが、レバレッジの黄金率です。ここからは、具体的にレバレッジの黄金率について見ていきましょう。

「ローンのあるマンションが1戸、ローンのないマンションが2戸の状態」これがレバレッジの黄金率です。なぜこの状態になると、物件を次から次へと増やしていけるのでしょうか。具体的にシミュレーションをしていきます。

ローン完済期間を大幅に短縮できる

価格2000万円、手取り利回り4・0％の物件でシミュレーションしてみます。家賃から管理費・修繕積立金、管理代行手数料を差し引いた手取り家賃は年80万円です。この条件の物件を仮に2戸現金で購入して、3戸目のマンションを金利1・64％の全額ローンで購入した場合、3戸目のローンは何年で返済することができるでしょうか。シミュレーションをわかりやすくするため、空室や家賃下落、修繕費などの影響はないものとします。

2戸のローンのないマンションから得られる手取り160万円の家賃収入とローンのある3戸目のマンションから得られる手取り80万円の家賃収入をあわせた年240万円で、2000万円のローンを返済していくことになります。毎月の収入は手元に残さず丸ごと返済として活用するのです。

この場合、2000万円のローンを完済するまでわずか9年しかかかりません。この間、オーナーはローン返済に1円もお金を費やしていません。入居者から得られる家賃収入だけで、自動的に資産を増やすことができました。

仮に、ローンを組むのが怖いからといって、2000万円の現金を2戸のローンのないマンションから得られる年160万円の家賃収入で貯めようとすると、12年6か月かかってしまうのです。

その差は3年6か月です。しかも早くローンを完済できれば、家賃収入からローン返済額は差し引かれないので、手元に毎月20万円が残ります。もし、お金を貯めてから物件を買おうとすると、時間をロスしてしまうだけではなく早く完済することのできた3年6か

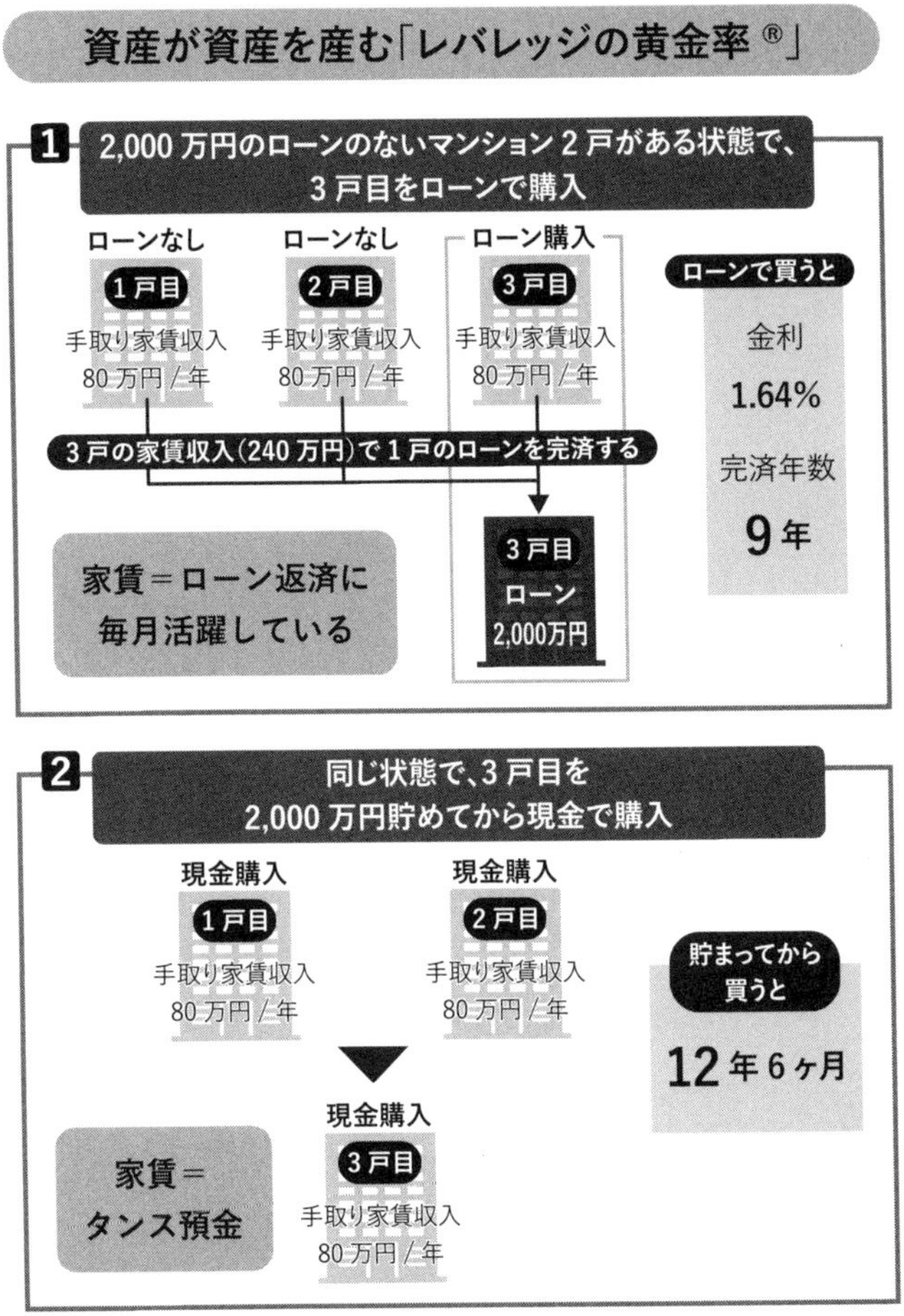

※計算を簡略化するためシミュレーションにあたっては家賃下落や空室、設備交換費などは考慮しておりません。

月、42か月分の家賃約280万円も損をしてしまうことになります。

資産から得られる収入で次の資産を買っていく

レバレッジの黄金率は資産が次の資産を生んでいく資産形成術です。3戸目のローン返済が終わった後、それで終わらせずに4戸目、5戸目とマンションを増やしていった場合、ローンを完済するまでの期間は物件が増えれば増えるほど短くなっていきます。

3戸目と同じ条件で4戸目のマンションをローンで購入したケースで考えます。この4戸目のマンションのローンは、4戸のマンションから入ってくる年320万円の手取り家賃収入で返済していきます。すると、4戸目のマンションのローンは6年8か月で完済することができます。

3戸目のマンションに比べて2年余り短縮することができました。同様に、5戸目のマンションを購入した場合、このローンは5年3か月で完済することができます。完済までの期間はさらに1年5か月短縮されました。

このようにいったん資産形成の核となるローンのないマンションが2戸できれば、あと

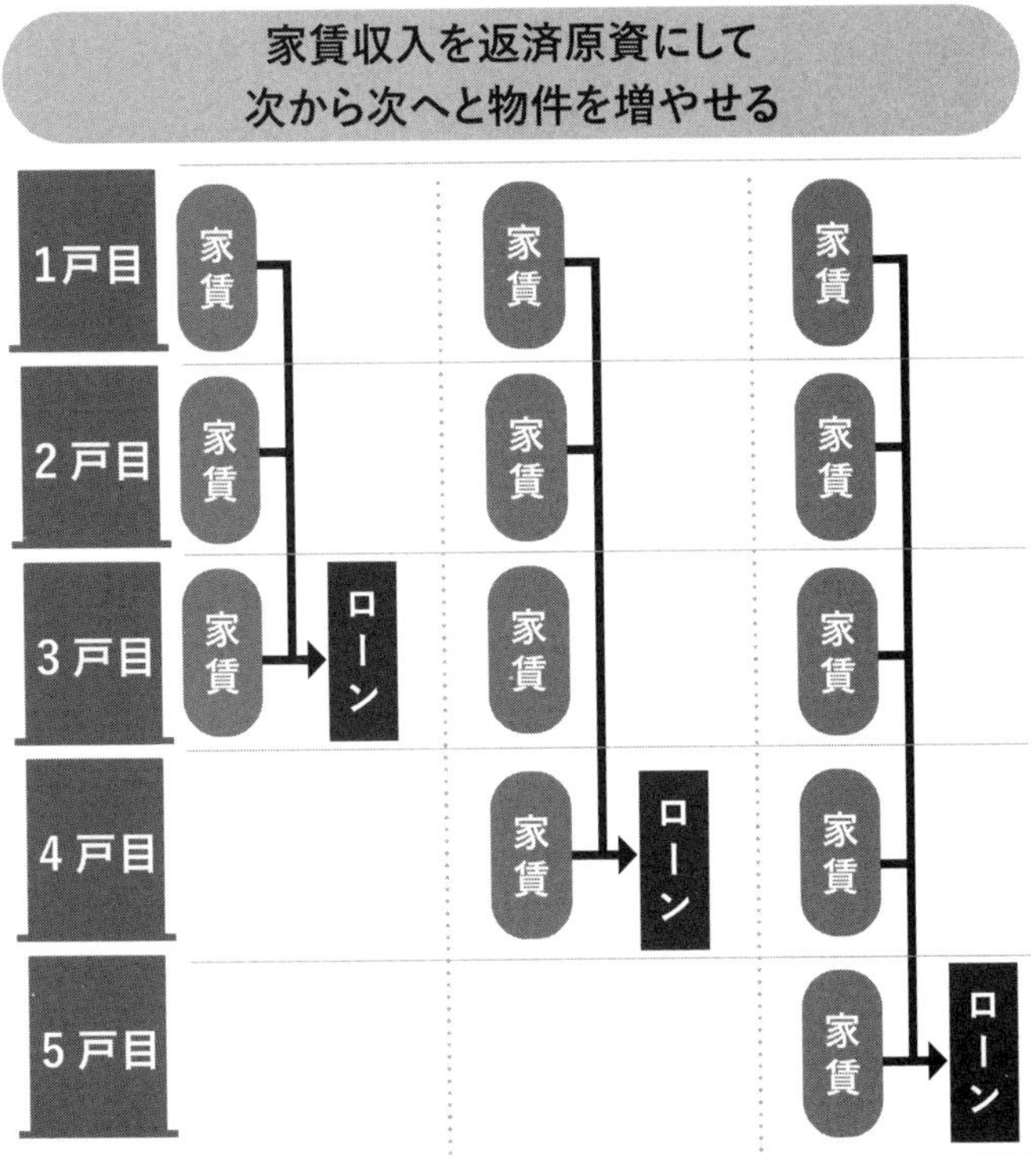

ローン完済年数	9年	6年8ヶ月	5年3ヶ月
年間家賃収入	240万円	320万円	400万円
資産総額	6,000万円	8,000万円	1億円

はその核を中心にして、文字どおり雪だるま式に加速して資産を増やしていくことができます。5戸のローンのないマンションを家賃収入だけでつくるのにかかった期間はおよそ21年です。

もしあなたが44歳の時点でローンのないマンションを2戸つくることができれば、65歳までにはローンのないマンションを5戸、手取り家賃収入400万円という不労所得を手に入れることができます。この流れを示したのが次の図表です。

もちろん、空室や家賃の下落・税金などを考慮すれば、資産形成のスピードは多少落ちますが、資産を増やしていくための考え方は変わりません。まずはローンのないマンションを2戸つくることを目標にして、資産形成をスタートしましょう。

繰上げ返済を行えば、早く家賃収入を得られる！

2戸のローンのないマンションをつくることができれば、あとはそこから得られる家賃収入で物件を増やしていくことができます。さらに、繰上げ返済を行うことで、物件を増やしていくスピードをあげることができます。具体的に数字で見ていきましょう。

繰上返済の活用で加速する資産形成

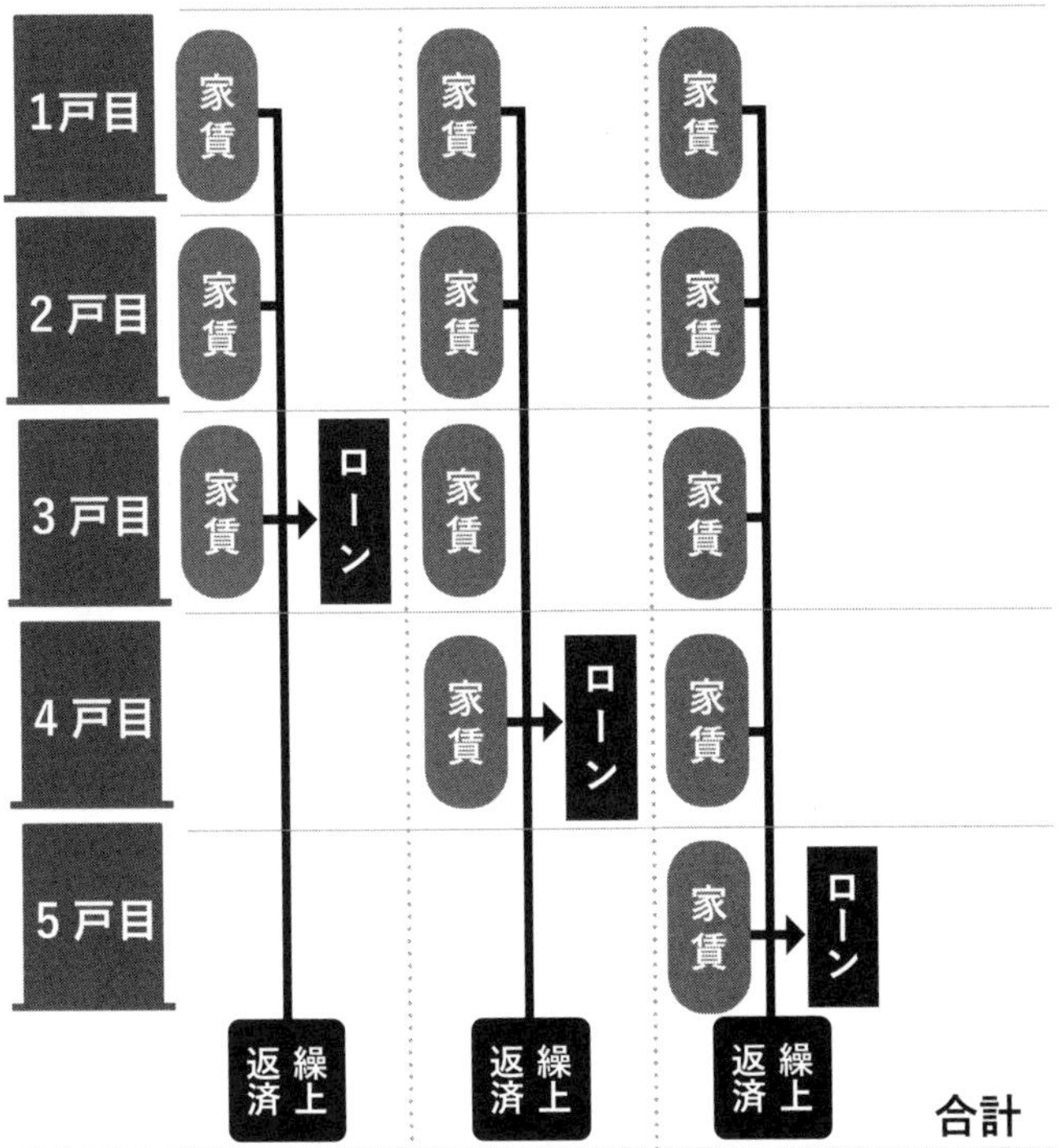

				合計
毎年100万円繰上返済	6年3ヶ月	5年	4年2ヶ月	15年5ヶ月
毎年200万円繰上返済	4年9ヶ月	4年	3年6ヶ月	12年3ヶ月

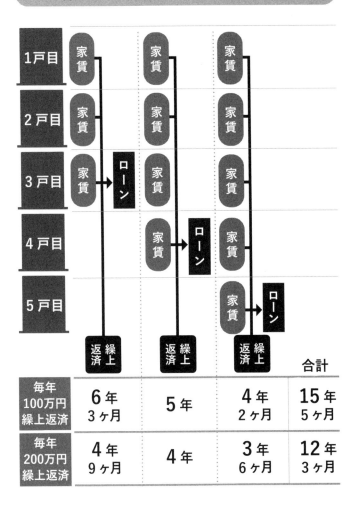

これまでのシミュレーションと同様、ローンのない2戸のマンションからそれぞれ手取り家賃収入が年80万円ずつ、合計160万円入ってくるケースで考えます。このとき3戸目のマンションを金利1・64%で2000万円を借りて購入します。

繰上げ返済を毎年100万円ずつ行った場合、3戸目のローンは6年3か月で完済できます。繰上げ返済をしない場合に比べて、完済までの期間が2年9か月短くなりました。同じように4戸目のマンションは5年、5戸目のマンションは4年2か月でそれぞれ完済となります。

5戸のローンのないマンションを持つまでにかかった期間の累計は15年5か月です。これは繰上げ返済を行わない場合に比べて5年7か月の短縮です。

そして、繰上げ返済に投入した金額の累計は1542万円です。繰上げ返済によって短縮した5年7か月に入ってくる手取り家賃収入の合計額は2233万円。つまり、繰上げ返済を積極的に行ったほうが、最終的には差し引き700万円近く、得をするとも言えます。

なお、同じように繰上げ返済を毎年200万円ずつ行った場合、5戸のマンションのローンを完済するまでの期間は12年3か月です。繰上げ返済を行わない場合に比べて、約9年も早くローンを完済することができます。老後を待たずに家賃収入だけで生活する選択肢も見えてきます。

繰上げ返済の余裕がある方は積極的にローンを返済していきましょう。それが、経済的自由への近道です。

5-5

好不況は関係なし！どんな環境下でも資産を増やせる

レバレッジの黄金率の効果は、単に資産形成のスピードを早めるだけではありません。金利上昇リスクにも対応することのできるすぐれた投資法です。

先ほどのケースでは3戸目のマンションの金利を1・64％で計算しましたが、これが仮に3・0％になってしまったら、返済までの期間はどれくらい長期化するでしょうか。

レバレッジの黄金率なら金利が5％になってもローンで買ったほうがよい

金利が3・0％になったとしても、3戸目のマンションのローン完済までの期間は9年8か月です。1・64％のときのローン完済までの期間が9年でしたから、わずか8か月延びる程度です。これが4・0％に上昇しても、完済までの期間は10年2か月、5・0％まであがっても10年10か月です。

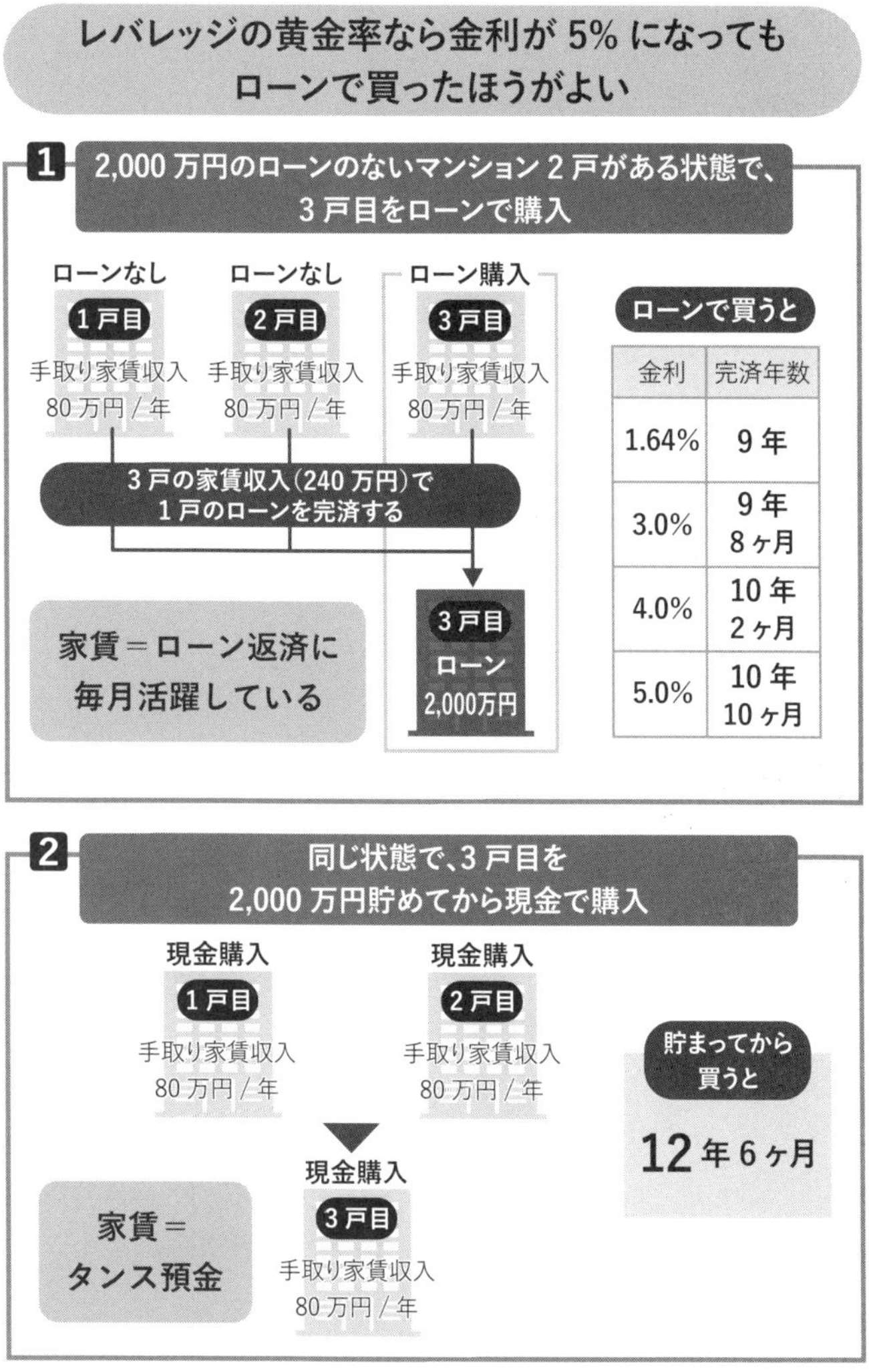

金利	完済年数
1.64%	9 年
3.0%	9 年 8 ヶ月
4.0%	10 年 2 ヶ月
5.0%	10 年 10 ヶ月

2戸のローンのないマンションから得られる家賃収入の年160万円で2000万円を貯めるのにかかった期間が12年6か月でしたから、金利が5・0%になったとしても、まだローンを利用して購入したほうが有利なのがわかります。

ローンのないマンションが2戸、そしてローンのあるマンションが1戸ある状態の全資産に占める借入金の割合はおよそ33%です。ですから、今後マンションを増やしていったとしても、つねにこの借入れ比率を意識していけば、金利上昇にも十分に対応することができます。

この借入れ比率については、現在は低金利が続いていることもあり、おおむね40%を目標にしておけば、十分金利上昇にも対応することができます。つまり「資産に占める借入れ割合が40%以内」であれば、それは借りたほうがよい借金だということです。

借金はいやだ、借金は怖いとローンを利用しなければ、資産形成のスピードはいつまでたってもあがりません。初めはどうしても借入れの割合は高くなりますが、40%以内に目標を置いて、繰上げ返済と借入れのサイクルを積極的に進めていきましょう。それが、あなたの資産形成のスピードをさらに加速させてくれるのです。

「1戸ずつコツコツ」が効果を高める

日本ではこのところ史上最低という超低金利がずっと続いています。しかし、これがいつまで続くかわかりませんし、専門家によっては膨らみ続ける政府債務を背景に、近い将来に金利が急上昇すると予想している人もいます。

ただ、いったんレバレッジの黄金率の形ができて借入れ比率が40％以内に保たれているのであれば、たとえ金利が急上昇したとしても家賃収入だけで資産を拡大し続けることができるのです。

また、この借入れ比率は資産が拡大してきても有効です。

例えば、マンションの戸数が増えていったとしても、借入れ比率が40％以内に保たれていれば、金利上昇リスクに十分対応することができます。一方で、1棟アパートのように投資のスタートと同時に1億円近い借金を抱えるような場合、借入れ比率40％に届くまでは時間がかかってしまいます。

ワンルーム投資のように1戸ずつコツコツと着実に資産を増やしていく場合に、レバレッジの黄金率は最大の効果を発揮します。

物件価格があがっても借入れ比率40％は有効

レバレッジの黄金率は金利が上昇したときだけでなく、物件価格が上昇したときでも有効です。物件価格が上昇したとしても、2戸のローンのないマンションがあれば、資産形成のスピードが遅まることはありません。それでは具体的にシミュレーションしてみます。

2戸のローンのないマンションから得られる手取り家賃収入は、先ほどのケースと変わらずに年160万円、手取り利回りは4・0％です。このとき3戸目のマンションの購入価格が2000万円から2200万円に上昇した場合で考えます。得られる家賃の額は変わらないものとします。

この3戸目のマンションの手取り利回りは3・6％になりますが、金利1・64％の全額ローンで購入しても、2200万円のローンは10年ですべて返済することができます。200万円価格があがっても、ローン返済期間は1年しか変わりません。

5-6
タイムレバレッジを活用して最速で物件を増やす

繰上げ返済を計画的に行える方であれば、レバレッジの黄金率をさらに超えるスピードで資産を増やしていく方法があります。それが「タイムレバレッジ」です。

レバレッジの黄金率では、つねにローンのあるマンションは1つだけという前提で資産を増やしていきました。

タイムレバレッジは複数のマンションのローン返済を同時に行うことで、資産形成のスピードを早めていくものです。

例えば、マンションを3戸同時に購入したシミュレーションで考えてみます。1戸2000万円、手取り利回り4・0％の物件を金利1・64％の全額ローンで購入したと仮定します。シミュレーションをわかりやすくするため、空室や家賃下落、修繕費などの影響はないものとします。

まずは1戸目のマンションのローンを年間家賃収入80万円に加えて繰上げ返済をして完

済を目指します。ここでは年100万円の繰上げ返済を計画的に実行していくとします。合計年180万円でローンを返済できるので、12年4か月後には1戸目のローンは終わります。

この12年4か月の間に、2戸目と3戸目には何が起こっていたでしょうか。

年80万円の手取り家賃収入から返済が進み、元本分の返済が640万円行われていたのです。両物件を合わせると、1280万円分にものぼります。繰上げ返済13回分です。

これこそがタイムレバレッジです。この間、オーナーは2戸目と3戸目のローン返済に1円もお金を費やしていません。入居者から得られる家賃収入だけで、前述の「見えない資産拡大」が進んでいたのです。1戸目の完済を待たずに、2戸目以降を先にローンを使って購入しておけば、先に返済が進んで時間短縮効果が働き、より効率的に資産形成を進められます。

続きも見ていきましょう。今度は1戸目、2戸目、すなわち2戸の家賃収入と繰上げ返済で2戸目をローン完済まで進めていきます。計年260万円ですので、返済スピードは加速します。5年6か月後には、2戸目もローンのないマンションになる計算です。

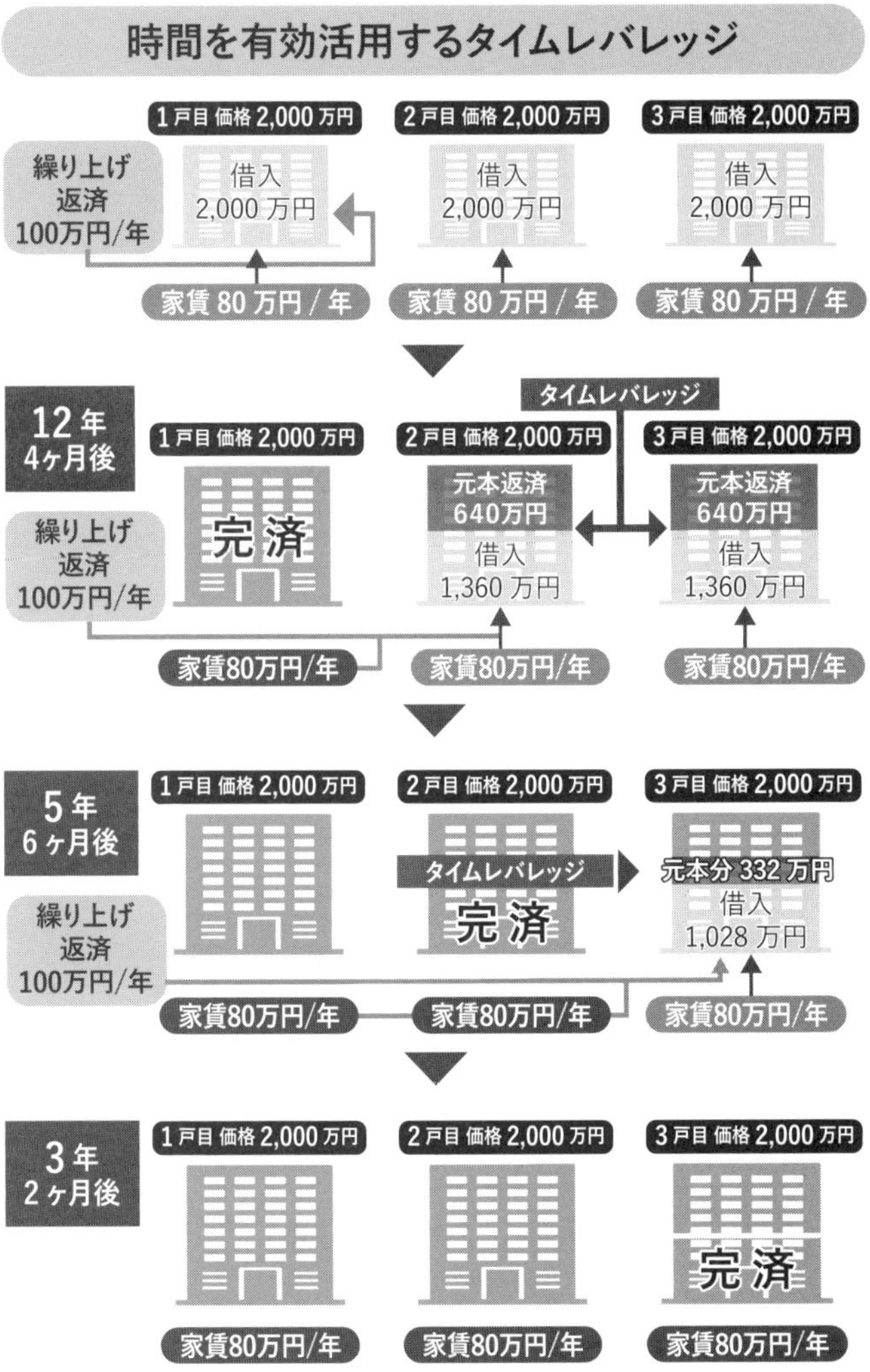
時間を有効活用するタイムレバレッジ
1戸目 価格2,000万円
2戸目 価格2,000万円
3戸目 価格2,000万円
繰り上げ返済100万円/年
借入2,000万円
借入2,000万円
借入2,000万円
家賃80万円/年
家賃80万円/年
家賃80万円/年
12年4ヶ月後
タイムレバレッジ
1戸目 価格2,000万円
2戸目 価格2,000万円
3戸目 価格2,000万円
繰り上げ返済100万円/年
完済
元本返済640万円
借入1,360万円
元本返済640万円
借入1,360万円
家賃80万円/年
家賃80万円/年
家賃80万円/年
5年6ヶ月後
1戸目 価格2,000万円
2戸目 価格2,000万円
3戸目 価格2,000万円
繰り上げ返済100万円/年
タイムレバレッジ
完済
元本分332万円
借入1,028万円
家賃80万円/年
家賃80万円/年
家賃80万円/年
3年2ヶ月後
1戸目 価格2,000万円
2戸目 価格2,000万円
3戸目 価格2,000万円
完済
家賃80万円/年
家賃80万円/年
家賃80万円/年

この5年6か月の間に、3戸目も手取り家賃収入から返済が自動的に進み、元本分の返済が332万円行われました。繰上げ返済で考えれば3回分に相当する、この部分がタイムレバレッジの効果です。

この時点で、ローンのないマンション2戸、ローンのあるマンションが1戸というレバレッジの黄金率と同じ形が完成しますが、違うのはローンの残額です。

借入れが残っている3戸目のローン残債は、この時点で約1028万円です。つまりゼロからスタートするよりも、およそ1000万円分もゴールに近いところから返済を始められるというわけです。

ここで気を緩めず、3戸のマンションの手取り家賃収入と年100万円の自己資金を併せて返済をしていけば、わずか3年2か月で残りのローンは終わってしまいます。

3戸を同時購入した時点から、21年で年間手取り家賃収入240万円を生み出す3戸のローンのないマンションを持つことができました。

このように、時間を有効に活用することで資産形成のスピードをさらに加速させることができます。

しかし、一方で資産に占めるローンの借入れ割合が大きくなります。その分、金利上昇といったリスクに弱くなります。

そのため、タイムレバレッジを利用して複数の物件のローンを同時に返済していく場合には、必ず繰上げ返済を行い、安心な借入れ比率40％を目指しましょう。

5-7 最終ゴールは無借金経営、本当の資産家になる！

安全な借入れ割合である40%を意識してローンを活用すれば、いかに安全にかつ効率的に資産を増やしていけるかということを確認してきました。

しかし、物件を増やすために家賃収入を次の物件のローン返済に充てていると、いつまでたっても家賃を使うことはできません。ローンを利用して不動産を増やしていくとしても、目指すゴールは借金ゼロです。そして、手元に残った家賃収入をあなた自身のために存分に使っていただきたいと思います。

世間では1億円を超えるような借金をして1棟アパートや1棟マンションへ投資する人もいますが、こうした投資手法をあなたにはおすすめしません。資産があるといっても、同じだけの負債がある状態では、資産家とは言えません。資産から負債を差し引いた純資産がどれだけあるかで、真の資産家であるかどうかがわかるのです。

1棟アパート・マンションに投資して、手取りで毎月数十万円の家賃が入ってくるといっても、多額の借金があったら安心できません。もし、空室が長期間埋まらなかったどうなるのでしょう。滞納が起きたら？　周辺に新しいマンションができたり、大学が移転したりしたら、莫大な借金を抱えて返済していくことができるでしょうか。

それでもローンの返済は待ってはくれません。だからこそ、あなたにはそんな多額の借金を抱える1棟アパートではなく、借金のコントロールをしながら安全に資産を増やしていけるワンルームがおすすめです。そして、借金をどんどん繰上げ返済してもらい、純資産家を目指していただきたいのです。

不動産投資の出口戦略は最後まで持ち続けること

不動産の増やし方にお話をしていると、「増やし方はわかったから、出口戦略について も教えてほしい」という声をいただくことがあります。わたしはいつもお客さまには「不動産は最後まで持ち続けてください」とお伝えしています。やむを得ずお金が必要なときには東京の中古ワンルームであれば素早く売却して現金化できますが、利益の最大化を目指すなら、最後まで持つことをおすすめします。

ローンを返済し終わったあとに入ってくる家賃収入はすべてあなたの利益になります。そのために繰上げ返済をすすめてきたのに、なぜ売る必要があるのでしょうか。また、仮に購入した金額よりも高く物件が売れたとして、そのお金を次はどこに投資するのでしょう？　物件が高く売れたということは、不動産全般の価格もあがっているということです。購入当時と同じような利回りの物件を購入することはできないでしょう。お金を手元に置いておくだけでは、利益を生むことはありません。

そして、現在所有している不動産以上に安定した収益を生む投資先がない以上、売る理由もないはずです。家賃収入という金の卵を産んでくれる鶏は、決して手放してはいけません。

マンション寿命は管理が行き届いていれば100年以上！

マンションの老朽化に伴うさまざまな問題がメディアで取り上げられる機会も増えています。持ち続けるといっても、マンションの寿命はいつまで持つのか。気になりますよね。

減価償却に使われる鉄筋コンクリート造の償却年数は税法上47年と定められていますが、

これはマンション寿命とは関係ありません。そもそも、当初は60年に設定されていたものが、税制の改正によって、マンション寿命とは関係なく政策的に短縮されたものです。

ここでは、マンション寿命について、物理的な寿命と、経済的な寿命という２つの視点から考えていきたいと思います。

マンションの物理的な寿命は、コンクリートの耐用年数からわかります。国土交通省がまとめた資料「ＲＣ造（コンクリート造）の寿命に係る既往の研究例」のなかで紹介されている資料を参考にすると、１００年以上の耐久性があるとされています。

『一般建物の耐用年数は１２０年、外装仕上げにより延命し耐用年数は１５０年』（大蔵省主税局）『鉄筋コンクリート造建物の物理的寿命を１１７年と推定』（飯塚裕「建物の維持管理」鹿島出版会）

実際に建てられてから１００年以上が経過しているコンクリート造の住宅が国内にあります。２０１５年に、世界遺産にも登録された長崎県端島（はしま）、通称「軍艦島」です。

７階建ての３０号棟と呼ばれる鉄筋コンクリート造の建物は、大正５年、１９１６年に建てられた集合住宅です。１９７４年に炭鉱が閉山されて以降、40年以上もメンテナンスがされずに、潮風にさらされ続けてきましたが、いまだに建物躯体部分は姿をとどめています。

最近では200年の耐久性があるコンクリートが開発されており、今後は技術の進歩によって「物理的耐用年数」は、さらに伸びることが考えられます。

ただ、物理的にマンションの寿命が100年以上見込めるとしても、最後まで稼働し続けて、利益をあげられるかどうかは、また別の話です。軍艦島の住宅にしても、形は保っていますが、あのような状況では、たとえ利便性の高い都内に立地していたとしても、売買することはおろか、賃貸することもできません。これが経済的な寿命が尽きてしまっている状態です。

例えば、同じ築年数が経過したコンクリート造の住宅でも、2013年に取り壊された同潤会「上野下アパートメント」（台東区）は、築84年が経過していましたが、最後まで住まいとして活用されていました。これは建物の管理を継続的に行っていたため、経済的寿命もこれだけ延ばすことができたケースです。

では一般的には、経済的な寿命はどれほどあるのでしょうか。

2013年に早稲田大学の小松幸夫教授が行った調査では、取り壊しになった建物のデータを元に、建物の平均寿命を推計しています。建物がいつ取り壊されたかは、固定資産台帳に基づいて調査しています。

この調査によれば、鉄筋コンクリート造のマンションの平均寿命は68年とされています。このことから、いわゆるマンションの経済的な寿命は、少なくとも60年程度と考えられます。

ただし、これはあくまでも平均値であり、すべてのマンションが60年にわたって稼働し続けられると断言できるものではありません。途中、建物のメンテナンスが不十分であれば、その分マンションの物理的な寿命は縮んでしまい、併せて経済的な寿命も短くなります。マンション寿命をまっとうさせるためには、建物の管理をしっかりと行うことが重要です。

そして、いよいよマンション寿命が迫ってきたというときでも、東京23区の駅から10分以内のマンションのような好立地の条件であれば、建て替えの話が出てきます。

そのときは、自分の土地の持ち分を売却して換金してもよいですし、地権者として再開発に参加し、建物代金を払うことで新しい物件を手に入れることもできます。この場合、新築分譲価格に対してかなり割安な価格で手に入れることができた実例が、わたしの会社の管理物件でも幾つもあります。

5-8 知れば差がつく！不動産投資ローンとのつきあい方

そもそも不動産投資ローンの金利や期間、利用する際の条件はどのようになっているのでしょうか。

不動産投資ローンはマイホームローンと金利などの条件が異なる

不動産投資ローンとマイホームのローンの最も大きな違いが金利です。不動産投資ローンの金利は低いもので1％半ばから2％台前半です。一方でマイホームローンの場合、変動金利で1％を切っているのは当たり前で、0・5％前後というものも出てきています。

これだけ両者に金利差があるのは、不動産投資ローンのほうが貸し倒れのリスクが高いと金融機関が考えているからです。

ローンの返済が滞り、返済ができなくなると、最悪の場合、その不動産を手放さなくてはいけなくなります。マイホームローンの場合、自分自身が生活している自宅に対するローンなので、返済が滞れば生活の基盤である自宅を失ってしまいます。

そのため、ローンが貸し倒れる割合は少なくなります。一方で、不動産投資ローンの場合、投資用マンションに自分が住んでいるわけではないので、万が一のときにも自宅を追い出されてしまうわけではありません。不動産投資ローンのほうが金融機関にとって貸し倒れリスクが高いため、金利が高くなっているのです。

融資条件についてもマイホームローンが融資を受ける人の年収や勤務先など個人の属性を重視しますが、不動産投資ローンの場合、個人の属性に加えて、その投資用不動産で安定的に収益をあげられるかが、判断材料のひとつです。

ですから、投資用不動産の種類によってはいくら個人の属性が良くても、ローンを利用できないケースもあります。

融資を受ける際に考慮されるポイント

金融機関が融資を行う際に、あなたにどのくらいの返済能力があるのか総合的に審査し、融資可能かどうかを判断します。

この返済能力を確認するために、金融機関はさまざまな観点であなたのことを審査します。主に年収や勤務先の安定度、ローンの残高など収入の大きさと収入の安定度が重視されますが、それ以外にも考慮されるポイントがあります。

一般的に融資を判断する際に考慮される主な項目を次の図表にまとめました。あなたが融資を受けやすいかどうかをある程度確認することができます。

もちろん、収入や勤務先がこの条件にあてはまらない場合でも、頭金を多く入れるなどによって融資を受けることもできるので、実際の融資については不動産会社に相談してみましょう。

どの不動産会社から買うかによっても変わる！条件を変える要素を網羅

不動産投資ローンの借入れ条件を変動させる要素は様々にあります。

意外と盲点になっているのは、同じ金融機関でローンを組むにしても、同じ物件を購入するにしても、どの不動産会社から買うかによって条件が変わるということです。

融資を受けやすいかどうかのチェックリスト

- □ 年収が 500 万円以上ある
- □ ローンの総額が年収の 8 倍以内である
- □ 勤務先が公務員、大手企業もしくは上場に準ずる中小企業である
- □ 勤続年数が 3 年以上である
- □ 副収入がある

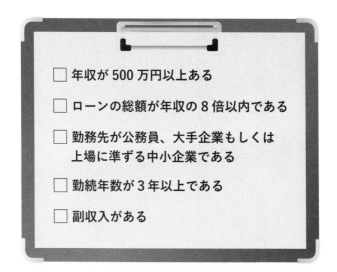

投資用不動産を販売する多くの不動産会社では、金融機関との提携ローンを用意しています。不動産会社と金融機関の取引数や融資金額が多ければ多いほど、より有利な条件が適用される可能性があります。

金融機関の側も「しっかり返してくれる顧客」「確かな収益を生む物件」を販売する不動産会社を優遇すれば、デフォルトのリスクを抑えられるわけです。

必ず不動産会社の担当者に、提携金融機関の数や、提携ローンの条件を確認しましょう。

自己資金の目安は100万円

不動産投資ローンを利用する際の自己資金の目安は100万円です。

多くの場合、最低10万円が頭金として求められます。これに加えて、ローンを利用する際に手数料など購入時の諸経費が物件価格に応じて50万円～70万円程度必要です。ローンを利用した際の諸経費は、

・登記費用
・ローン事務手数料

・火災保険料
・印紙代
・固定資産税（日割分）
・管理費（月割分）
・修繕積立金（月割分）

などが含まれます。

２０２１年現在では、頭金をゼロで利用できたり、諸経費を含めて借入れができるローンも存在しますが、購入後にいつか必ず生じる原状回復工事や設備交換の費用に備える上でも、ある程度のまとまった余剰資金の確保は不可欠です。

今すぐに使う予定のないお金が１００万円あれば安心してローンを組んで不動産投資を始めることができるでしょう。

ローンを利用する前に知っておきたい知識と注意点

融資の審査では意外な盲点もあります。ローンを利用する前に知っておきたい主な知識と注意点をまとめました。

使っていないクレジットカードは要注意

これは実際にあったケースですが、金融機関の定める年収はクリアしていたにもかかわらず、おつきあいでたくさんのクレジットカードをつくられた方の融資が通らなかったということがあります。

金融機関にとっては、クレジットカードをたとえまったく使っていなかったとしても、あなたがクレジットカードの利用限度額分だけ借金をしていると判断するケースもあります。

もし、手元に使っていないクレジットカードがあるようでしたら、すみやかに解約しましょう。必要分に合った限度額の再設定も効果的です。

投資用ローンは生命保険の代わりになる

不動産投資ローンにはマイホームローンと同じように団体信用生命保険がつきます。これはあなたに万が一のことがあったとき、生命保険の代わりになるのです。遺された家族に対して毎月、家賃収入を生み出してくれる投資用マンションを残すことができ、この家賃収入は遺族年金として、マンションがあるかぎり、ずっとあなたの家族の生活を守ってくれます。

そして、まとまったお金が必要であれば、売却することもできます。まさに生命保険代わりとして大活躍してくれます。

住宅ローン控除は使えない

マイホームローンの場合は、規準を満たしたローンの残高に対して一定額の税金を際することができる住宅ローン控除があります。２０２１年に住宅ローンを利用した場合、借入金の年末残高（４０００万円まで）の１％の税金を13年間にわたって控除することができます。

ところが、不動産投資ローンはマイホームローンと違って、住宅ローン控除はありません。

また、毎月のローン返済額のうち、元本部分は経費として計上できず、経費計上できるのは支払利息部分のみです。

税金的な側面から見たとき、不動産投資ローンに優遇措置はありません。ローンを残しているよりも、積極的に繰上げ返済をすすめていきましょう。

第6章

空室、滞納だけじゃない！
不動産投資の８大リスクと解決法

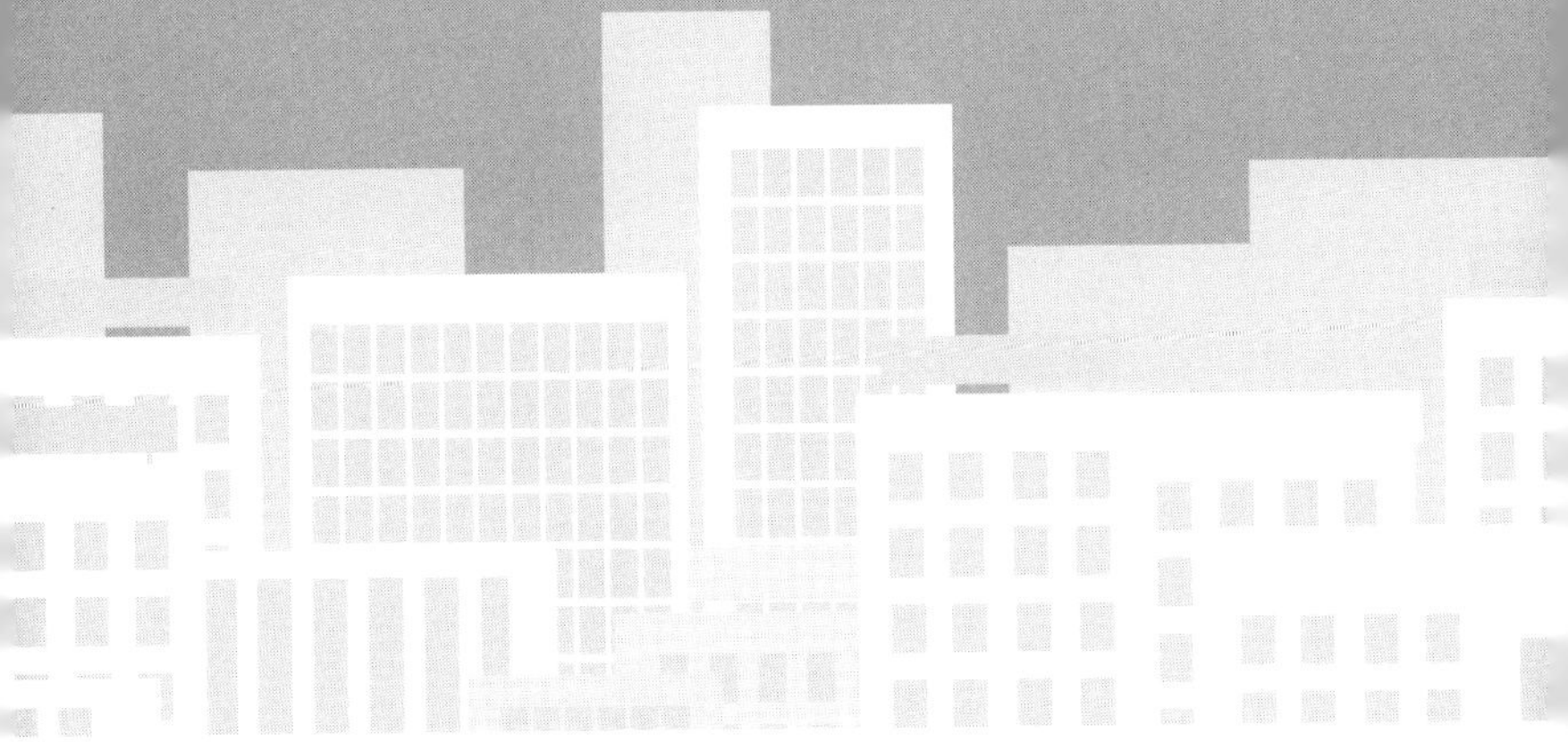

6-1

不動産投資には8つのリスクがある！

不動産投資を進めるうえでは避けては通れないリスクについて紹介していきます。世のなかに不動産投資を紹介しているセミナーや書籍はたくさんありますが、不動産投資のリスクについて詳しく解説しているものはごくわずかです。

不動産会社はリスクについて話したがらず、失敗事例を出したがりません。ただ、成功している人は、しっかりとリスクもその対処法も知って不動産に投資しています。

不動産投資を検討するのであれば、絶対に外すことのできない8つのリスクについてまとめました。単なるリスクの内容紹介だけではなく、その回避策、対応策についても踏み込んで紹介しています。リスクを知り、対処法も押さえておけば、マンション経営で安定した利益をあげることが可能です。

それでは1つずつ確認していきましょう。

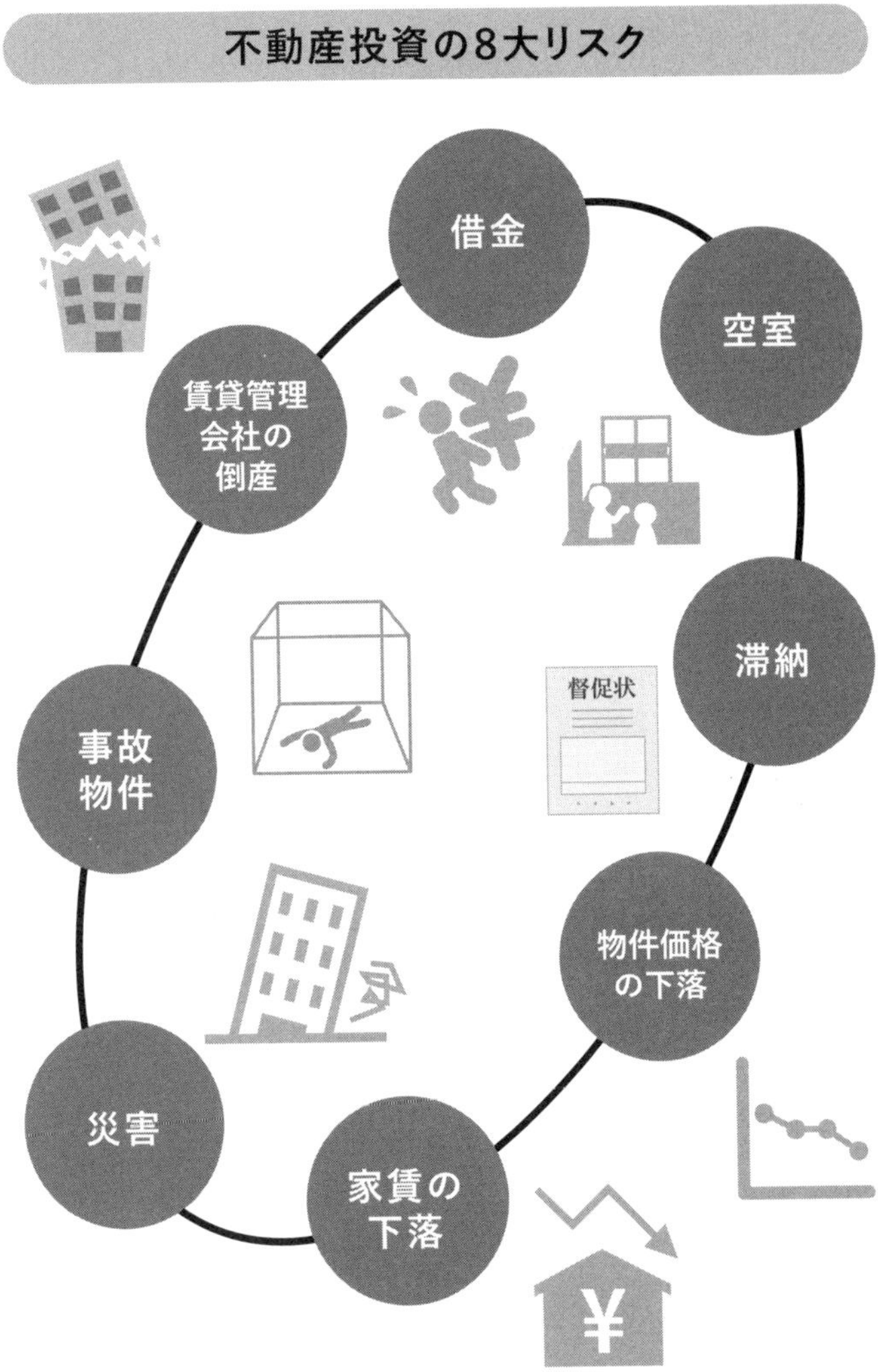
不動産投資の8大リスク
借金
空室
滞納
督促状
物件価格の下落
家賃の下落
災害
事故物件
賃貸管理会社の倒産

RISK 1

借金
金利の上昇に備え、借金をコントロールする

不動産投資で一番のリスクは、借金です。繰り返しになりますが、これは不動産投資を進めるうえで絶対に覚えていただきたいポイントです。

空室や滞納は大きなリスクですが、それで不動産投資が破綻するわけではありません。借金返済のための原資を入居者からの家賃収入に頼っていて、その家賃収入が空室や滞納で入ってこなくなった結果、返済が滞り不動産投資が行き詰まってしまうのです。

自己資金が数百万円しか出せないような状況で、1億円や2億円といった多額の借入れをすると、金利上昇リスクも跳ね上がります。

繰上げ返済を行うことで金利上昇リスクを軽減できるといっても、1億円の借金に対して100万円程度の繰上げ返済では、ほとんど効果はありません。ところが、同じ100万円の繰上げ返済でも、もともとの借入れが1000万円であれば、高い効果を見込めます。

毎月のローン返済を家賃収入から賄えているといっても、それは今の金利での話です。

金利が上昇したからといって、家賃収入が増えるわけではありません。

家賃収入で返済が追いつかなければ、サラリーマンとしての給与などあなた自身の別の収入からローンを返済する必要があるのです。こうしたときになって、繰上げ返済したとても、やはり多額の借金の前では焼け石に水です。

第5章でもお伝えしたように、借入れ割合は40％を目安にして不動産投資をすすめていきましょう。借金のコントロールさえできていれば、不動産投資で破たんすることはありません。

RISK 2　空室

「立地×商品力×客付力」を確認する

いくら利回りが良い物件を購入できたとしても、入居者がいなければ家賃収入は入ってこないので、その利回りにまったく意味はありません。机上の空論に終わってしまいます。

不動産投資のパフォーマンスを最大限に発揮させるには、いかに空室リスクの少ない物件を選ぶか、そして空室が発生したら、いかに素早く空室を解消できるかがポイントになります。

空室リスクを3つの要素から考える

空室リスクは次の算式で決まります。

立地×商品力×客付力

すなわち、「賃貸需要の大きさ×入居者から人気のある物件×入居者募集のノウハウ」です。この3つの要素をいかに高めていくかが空室リスクを抑えるために重要になります。

要素1 立地(賃貸需要の大きさ)

不動産投資を行うのであれば、東京23区内で行うことが欠かせないのは、さきにお伝えしたとおりです。そのなかでも、さらに空室リスクを下げるには、新宿・渋谷・池袋・東

徒歩10分圏内にこだわるワケ

空室リスク＝立地×商品力×客付力

●徒歩1分圏内　●徒歩10分圏内

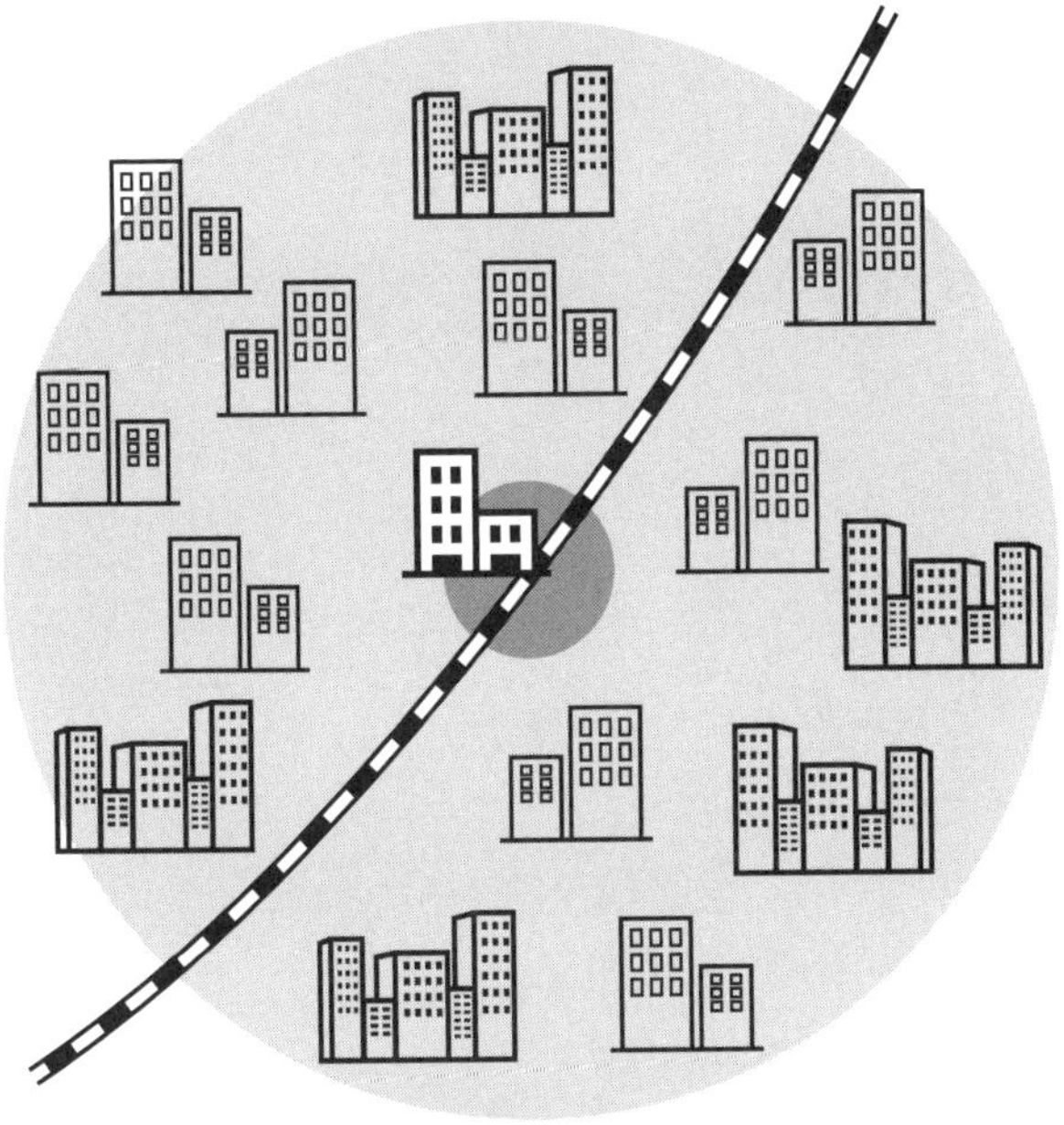

徒歩距離が10倍になると

↓

競争エリアは100倍に！

京などのビッグターミナルへのアクセスが便利で、駅から徒歩10分以内の物件が、いわゆる最も賃貸需要の高い立地になります。

10分以内の立地にこだわるのには理由があります。

徒歩10分圏内の物件は希少性が高く、競争相手が少ないというメリットがあります。たとえば、駅から徒歩1分の物件で考えてみましょう。不動産の広告表記では徒歩1分は80メートルと換算されます。つまり、駅から徒歩1分の物件は、半径80メートル以内の円内に立地している必要があります。これが徒歩2分になると、半径160メートル内に物件が立地していなければならないことになります。

徒歩分数が1分から2分に2倍になりましたが、面積としては実は4倍にもなります。当然ですが、エリアが広がれば広がるほど競争物件も増えることになります。これが徒歩1分と徒歩10分で比べると、面積は実に100倍も違います。面積が広ければ、そのなかに点在する賃貸物件の数もそれだけ多くなります（前ページの図参照）。

単純に考えて、徒歩1分の物件と徒歩10分の物件では100倍もの競争率（入居者からの選ばれやすさ）の違いがあるのです。だからこそ、徒歩分数は短ければ短いほど入居者に選ばれやすく、有利なのです。徒歩10分以内を目安に選びましょう。

要素2 商品力（入居者から人気の物件）

入居者から魅力のある物件かどうかは、「部屋の内容」と「手ごろな価格（賃料設定）」の2つがポイントです。いくら部屋の内容が良くても、高額すぎる家賃ではそもそも借り手が少なく、競争力のある部屋とは言えません。一方で、家賃は安くてもボロボロのアパートで、駅から15分以上もあるような部屋では入居者もなかなか埋まらないでしょう。

高額家賃の物件ではタワーマンションをイメージしてもらえれば、よくわかると思います。都内のタワーマンションの賃料は50万円を超えることも珍しくありません。これだけの家賃を支払える人がどれだけいるでしょうか。実際、わたしの会社でもタワーマンションの管理を行っていますが、空室を埋めるために大変な苦労をしています。やむなく賃料を大幅に下げて、なんとか空室を解消している物件もあります。だからこそ、部屋の内容もグレードが高すぎればいいというわけではなく、適度なグレードで借りやすい価格帯の部屋のほうが投資物件としては使い勝手がよいのです。

要素3　客付力＝賃貸管理会社の能力（入居者募集のノウハウ）

物件選びには力を入れるのに、賃貸管理会社選びには無頓着で、購入した会社にそのまま管理を任せる人が大半です。ただ、賃貸管理会社によって、入居者を募集する能力には差があります。それによって、同じ不動産に投資をしていても、収益が大きく変わることがあります。

だからこそ、空室を素早く埋めるためには、入居者募集に強い賃貸管理会社に依頼することが大切です。

ここでは、入居者募集に強い賃貸管理会社を見分けるポイントを3つにまとめました。管理を任せる前に、このポイントに照らしてチェックしてみましょう。

①入居率の公開状況

入居率をウェブ上で公開しているか確かめましょう。入居者募集に自信がある会社ほど、定期的に入居率をウェブ上で更新し、公表しています。

②入居率の算出根拠

入居率を算定する際の基準も確かめておきましょう。入居率とひとくちにいっても、引っ越しシーズンのピークの入居率を1年中表示していたり、特定の物件に絞っていたりするケースがあります。2か月以上の空室期間が続いてはじめて空室とカウントするなど、算定基準はさまざまです。

ちなみに、わたしの会社では「リフォーム工事が完了して、即入居が可能になった部屋」を基準に算定しています。こうした入居率の算定基準も、確認しておくことが大切です。

③管理戸数

高い入居率を誇っていても管理戸数が少なければ、あまり意味はありません。賃貸管理会社が管理している物件の目安として、およそ1万戸もあれば十分です。

RISK 3 滞納
二重の対策でリスクを抑える

家賃の滞納は、後手に回れば回るほど回収が困難になります。なかには、もう何年も滞納を続けて家賃が100万円以上滞っているようなケースもあります。

滞納しているからといって、すぐに入居者を追い出すわけにもいかないので、その点、一度発生するとやっかいなのが滞納の特徴です。

とはいえ、実は滞納リスクに対しては多くの場合、二重のリスク対策が取られていますので、過度に心配する必要はありません。

まずは家賃保証会社をつける

入居希望者と賃貸借契約を結ぶ際は、万が一の滞納に備えて家賃保証会社との契約を行いましょう。賃貸物件に住んだことがあるなら、お部屋を借りるにあたってご両親や親族に連帯保証人になってもらったことがある方も多いのではないでしょうか。実はここ数年で、万が一のリスクに対して保証人を立てるケースはかなり限定的になっています。これは民法の改正による影響です。

これまでは、入居者の家賃滞納などが発生した場合、その責任を連帯保証人が本人同様に担ってきました。2020年4月に行われた民法改正後は、個人保証人の保護の観点から、保証人が負担する最大限度額を契約で定めなければ、保証は無効とされました。この最大限度額である「極度額」が契約書で明確に規定されていなければ、保証契約自体の効力が生じないのです。

そこで現在の賃貸借契約では、保証人ではなく、家賃保証会社との契約を入居者に義務付けることが多くなりました。万が一、入居者が滞納したとしても、家賃保証会社が代わりに家賃を支払ってくれるので、あなたの家賃収入が滞ることはありません。

滞納保証がある賃貸管理会社を選ぶ

また、賃貸管理会社と管理代行契約を結ぶ際に、滞納保証の有無を確認しましょう。基本の契約プランのなかに滞納保証がつけられていたり、有料のオプションとしてつけたりもできます。こちらも利用すればさらに滞納リスクを抑えることができます。

注意が必要なのは、中古物件の購入時に住んでいた入居者との契約です。中古物件ではオーナーチェンジといって入居者が住んでいる状態で売買されるのが一般的です。この元々の入居者に保証人がついているケースでは、万が一家賃の滞納などが起こった際に保証人に保証能力がない場合、賃貸管理会社の管理代行契約の内容によって滞納が保証されることになります。

賃貸管理会社によって、自社で募集していない入居者の家賃滞納に対する取り扱い方は異なります。たとえばわたしの会社では、ご紹介した物件の入居者が滞納をした場合には一律に滞納家賃を全額保証していますが、会社によっては、あくまでも自社で募集をした入居者に限定するとして保証の対象外にすることもあるのです。このような際は、賃貸管理会社の家賃回収能力が問われます。

滞納といっても、そのほとんどでは入居者に悪意はありません。振込忘れや残高不足など「ついうっかり」のことが大半であり、しっかりコミュニケーションを取ることで再発を防止できます。

しかし、さまざまな事情で生活が困窮してしまい、家賃を振り込むことができない深刻なケースもなかにはあります。こうした生活再建自体が求められる場合でも、賃貸管理会社のなかに専門の対応部署があると迅速に解決へと進めることができます。賃貸管理会社選びの１つの基準として、滞納発生時の条件によって保証内容が異なるのか、また会社のなかで専門の部署があるのかを、確認しましょう。

RISK 4

家賃の下落

築年数が経過し、建物と部屋の老朽化がすすめば家賃も下落していきます。そして、家賃水準は主に立地と部屋自体の魅力によって決まります。

家賃が下がりにくい物件の条件

家賃が落ちづらい物件とは、将来にわたって高い収益性が見込める物件です。具体的には次の要素を持っている物件が該当します。

・将来にわたって賃貸需要のある立地であること（都内23区）
・最寄り駅から近いこと（徒歩10分以内が目安）
・ターミナル駅まで近いこと（直通が理想）
・分譲タイプの鉄筋コンクリート造のマンション
・オートロック完備
・バス・トイレ別

このなかでもっとも大切なのが立地です。立地を外してしまうと、いくらそのほかの要素を満たしていても、家賃は築年数の経過とともに下落してしまいます。

一方で、東京23区のワンルームマンションであれば、新築の賃料水準を100とした際に築20年以降は80前後で推移し、それほど家賃の下落が見られない傾向があります。ある程度築年が経過した都心の物件を購入することで、購入後の家賃変動リスクは最小限に抑えられます。

加えて、設備の交換やリノベーションなど再投資を行い、相場平均以上にお部屋の魅力を高めることも効果があります。

築年数ごとの家賃推移

東京23区　築年数によるワンルームマンションの賃料水準

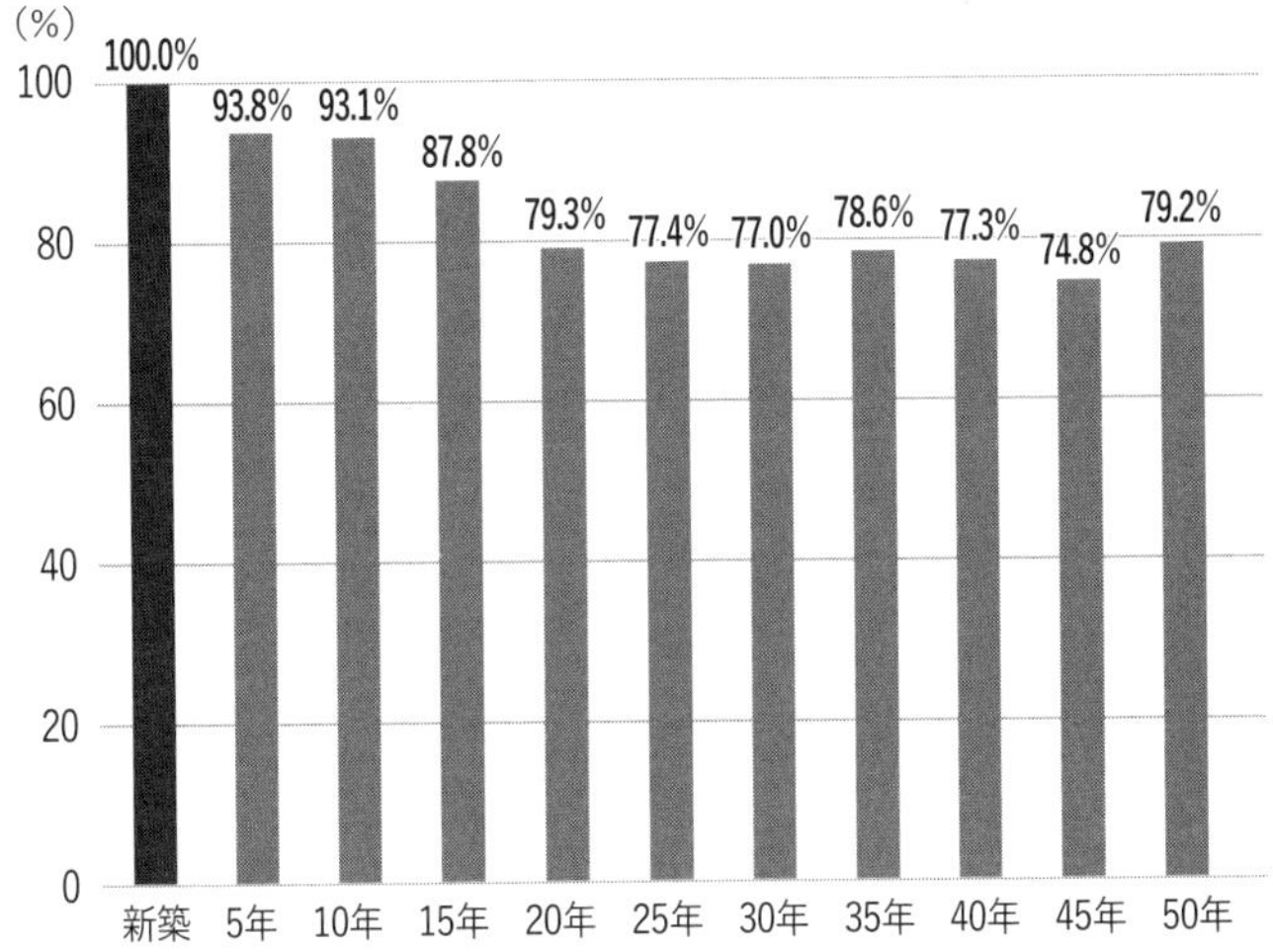

・新築時を100％とすると、築10年での賃料水準は93.1％と１割未満の下落

・築20年以上のワンルームでは賃料水準が80％程度でほぼ底打ち

出典：東京カンテイ

※専有面積 30 ㎡未満の住戸が対象、事務所・店舗は除外。
※最寄駅からの所要時間が 15 分以内で、直近 16 年間（ 2005 年～ 2020 年）に賃料事例が生じていたワンルームマンションを対象に集計。

バス・トイレの仕様で家賃水準は変わる！

ただし、比較検討の際は室内設備の「ユニットバス」の仕様によって、家賃水準が大きく異なることに注意が必要です。

1988年から1994年に分譲されたバブル期タイプのワンルームマンションと、1995年から1999年までに分譲されたマンションの平方メートルあたりの平均賃料を見ると、その差は大きく開いていることがわかります。

1988年から1994年に分譲されたワンルームの平方メートルあたりの賃料は3535円で、ワンルームの平均的な広さである20平方メートルに換算すると7万700円になります。

一方、1995年から1999年までに分譲されたワンルームは3813円で、ワンルームの平的な広さである20平方メートルに換算すると7万6260円です。（日本財託が2021年5月～同7月に販売した物件データより）

1994年頃を境に、バスとトイレが一体となっている3点式ユニットバスからバスとトイレが別の仕様になっていることから平方メートルあたりの賃料に差が生じています。

実際はお部屋の専有面積が16～19平方メートルのバブル期マンションと、25平方メートルを超えることもある築年数が浅いマンションで、表面上の家賃にはもっと大きな差が生じてくるわけです。

RISK 5 物件価格の下落
資産価値が落ちづらい物件を選ぶ

家賃と同様、築年数の経過とともに物件価格は下落していきますが、価格が落ちづらい物件を選ぶことは可能です。それはすなわち、ＲＩＳＫ４で紹介した家賃が下がりにくい物件を選ぶことです。

投資用物件の価格は主として、「収益還元法」と呼ばれる計算方法を用い決定されます。これは、物件から得られる家賃から年間にかかる経費を引いた収益から、周辺にある同様の物件の利回りを割り戻して計算する方法です。収益還元法には「直接還元法」と「ＤＣＦ(Discounted Cash-Flow) 法」の2つの算出方法がありますが、収益そのものである家賃収入をもとにして資産価値が決まる点は同じです。まずは家賃が下がりにくい物件＝資産価値が下がりにくい物件だということを覚えておきましょう。

ただし不動産の取引価格は景気動向や金利の上下など外部環境にも影響を受けます。都心3区、都心5区といった23区のなかでも極めてネームバリューがある立地ほど、景気動向に左右されやすい面があるので、その点は留意しておく必要があります。

RISK 6 災害(地震・火災) 複数戸なら物件エリアを分散させる

大地震の発生リスクが高まっている現在、地震リスクへの備えが実物資産である不動産投資では欠かせません。地震リスクに備えるためには、地震に強い物件・立地を選ぶことはもちろんのこと、「エリア分散」も大きなポイントです。

地震に強い物件を選ぶ

いつマンションが建築されたかで地震に対する強度が異なります。地震に強い物件を選ぶには、１９８１（昭和56）年以降に制定された新耐震基準の物件を選ぶことです。

新耐震基準法は１９７８（昭和53）年に宮城県沖で発生した地震による被害を教訓に定められた基準で、「震度6強以上の地震で倒れない住宅」とされています。

実際に阪神淡路大震災や東日本大震災、熊本地震でも、新耐震基準で建てられた分譲タイプのワンルームマンションの倒壊は1棟もありませんでした。

東日本大震災が発生した月、わたしの会社でも救援物資を軽トラック2台に積んで被災地に行きましたが、貯水槽が傾いているマンションや立入り禁止のテープが入口に張られているマンションなど、被害を受けている建物はきまって旧耐震基準のものでした。

だからこそ、築年数が１９８1年以前の旧耐震の物件は選ばず、地震に強い新耐震基準の鉄筋コンクリート造のマンションを選びましょう。

さらに、一か所に投資不動産に集中させるのではなく、立地を分散して投資をすることで、地震リスクを分散することができます。たとえば、1億円の投資資金で1棟アパートを買うよりも、ワンルーム5戸を購入してエリアを分散させたほうが、地震による火災などのリスクも分散することができます。

老朽アパートに投資して1億円の損害賠償責任を受けたケースも

阪神淡路大震災のときに、老朽化したアパートを所有していたオーナーが必要な処置をとらずに、建物がつぶれて入居者が亡くなった結果、その管理責任を問われて1億円以上の損害賠償を命じられたケースもあります。

利回りが良いからといって安易に築古アパートに手を出すと、考えている以上に大変な事態を引き起こしてしまうので注意が必要です。

鉄筋コンクリート造の物件を選ぶ

鉄筋コンクリート造のマンションなら、万が一火災が発生して全焼してしまっても2か月程度で元どおりになります。木造アパートの場合は1部屋の火災がアパートすべてに燃え移ってしまいますが、鉄筋コンクリート造のマンションの場合は、1部屋だけに被害はとどまります。全焼するほどの火災でも、2か月もすれば新築同然にリニューアルをした部屋に生まれ変わらせることができます。

火災事故　ビフォー・アフター

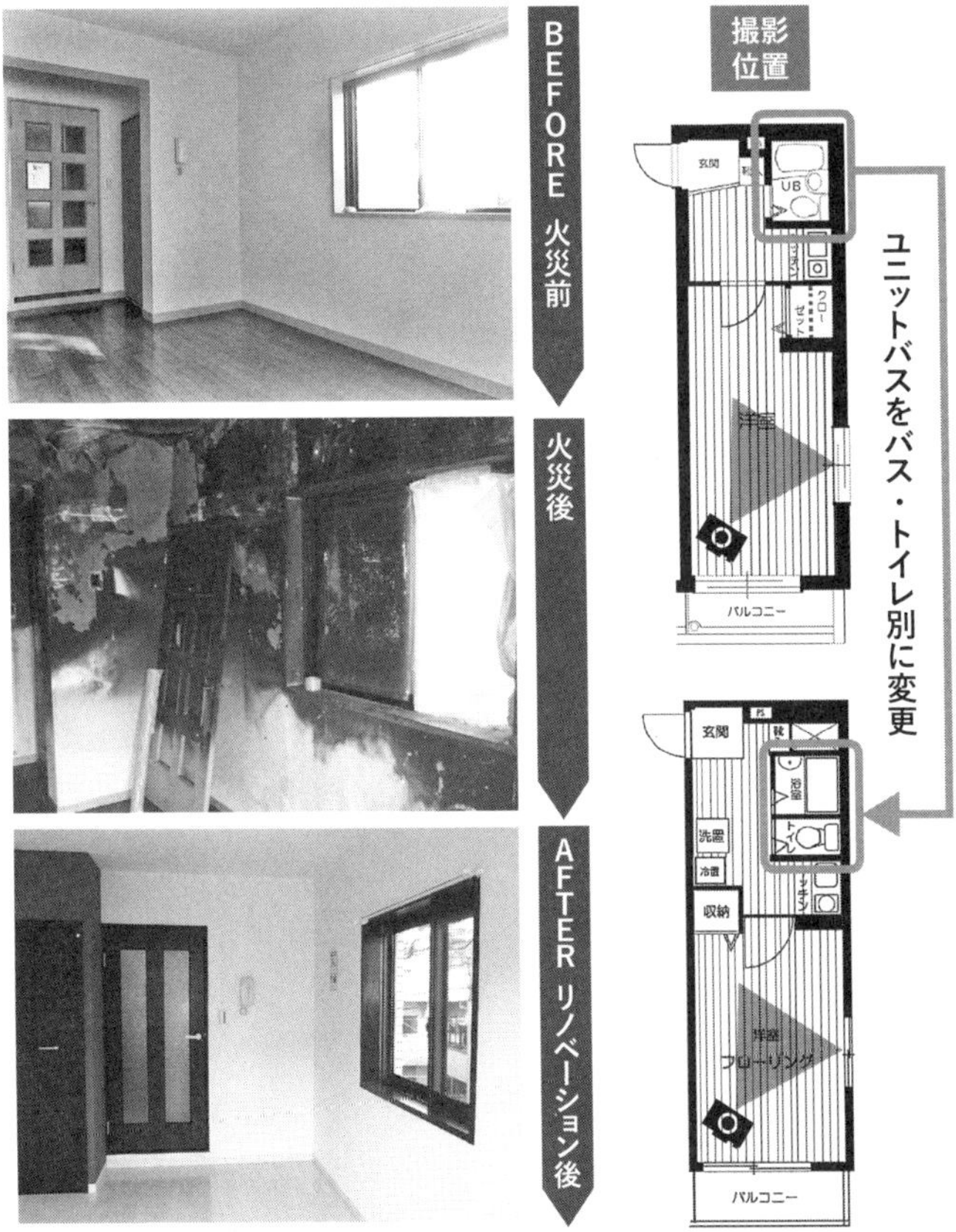

フローリングは明るさ・広さをイメージさせるホワイト、ドア・窓枠はともに落ち着いたブラウンを使用し落ち着いた雰囲気を演出。

実際にわたしの会社でも過去に何度もワンルームの全焼事故を経験しています。全焼といっても火災はその1部屋だけにとどまり、隣室や上下階に燃え広がることはありませんでした。

全焼してしまった部屋は、コンクリート剥き出しのスケルトンの状態まで戻し、フルリフォーム工事を行ない、2か月程度で工事を完了することができました。

もともとバスとトイレが一緒だった部屋を、バスとトイレを別々に分け、居室にはあとづけした洗濯機置き場がありましたが、廊下にあるキッチンスペースと入れ替えました。さらに天吊りタイプのクローゼットに変更して、より広い空間と収納のスペースを確保するなど、フルリノベーションを行いました。

なお、こうした工事の費用は、オーナーが加入する火災保険の保険金からまかなうことができます。

もし木造アパートだったら……

もし、これが木造アパートで起きた火災事故であれば、どうなっていたでしょうか。火災は1室に留まることはなく、アパート1棟をまるごと全焼させてしまうほどの火災事故となったかもしれません。燃えてしまったアパートを解体して、最初からアパートを建てるとすれば、少なくとも半年はかかります。その間家賃収入が途絶えても、ローンの返済は待ってはくれません。それほどの被害となれば、火災保険の保障の範囲内では建て直すことはできないはずです。火災が起きて建て直すことができず、しかも、多額のローンだけが残ってしまう。そんな事態も起きかねません。

一方で、鉄筋コンクリート造のマンションの場合は復旧費用も保険ですべてカバーでき、しかも部屋をグレードアップできることすらあります。

火災リスクに備えるためには、被害を最小限にとどめて、すぐに賃貸できる状態に戻せる鉄筋コンクリート造のマンションがおすすめです。

路地、木造建物の密集地は避ける

さらに火災リスクに備えるためには、建物の構造だけではなく、立地も重要です。

火災リスクを抑える立地選びのポイントは２つです。

・火災事故が起こった際に緊急車両が入れる道路幅があること
・延焼が広がりやすい木造密集エリアは避けること

各自治体ではエリアごとの火災危険度ランクマップを作成し、ウェブなどで紹介しています。マップを参考にして、火災危険度の高いエリアは避けましょう。

RISK 7

事故物件
ガイドラインに即して収益の減少を最小限にとどめる

何らかの理由で入居者が室内で亡くなった場合、その物件は「事故物件」と呼ばれます。オーナーとして気になるのは、不幸にも入居者が亡くなり、所有物件が事故物件になった際、「どのようなケース」で、「いつまで」次の入居者に伝えるべきなのかということでしょう。

この告知基準には、これまで明確なものがありませんでしたが、2021年、初めて国土交通省がガイドライン案を公表しました。国交省が公開したのは『宅地建物取引業者による人の死に関する心理的瑕疵の取扱いに関するガイドライン』です。

不動産物件の取引に当たって、借主・買主に心理的な抵抗が生じる恐れのある事柄のことを法律用語で『心理的瑕疵《かし》』と言います。ガイドラインでは告知の必要性と、告知が必要な期間の目安を示しています。

ガイドラインのポイントは3つ。まず押さえておくべきポイントは、告知が必要な状況です。

室内での他殺や自殺、事故死は「告知する」事項だと明記されました。またその必要期間は、賃貸借契約においては、特段の事情がない限り、発生からおおむね3年間です。実務的には、心理的瑕疵が薄まるには、2～3年がかかるとされており、ガイドラインの3年間という基準もこれに即したものです。

心理的瑕疵があれば入居者募集において苦戦するため、そのお部屋の家賃は、相場から10%～20%程度低くして募集するのが一般的です。一方で、管理物件における平均入居期間も、およそ3年です。つまりガイドラインに従えば、本来得られるべき家賃収入額を逸している期間を、最小限にできると見込まれます。

ポイントの2つ目は、病死、老衰などいわゆる自然死や日常生活における不慮の死は、「告知の必要はない」と明記されたことです。このような自然死が発生した場合、現状でも、入居者募集時に心理的瑕疵を告知しないことが、一般的です。家賃を下げて募集する必要もありません。

ただし、例外として注意すべき点があります。これが3つ目のポイント、孤独死リスクです。ガイドラインでは例外として、自然死でも、発見が遅れて長期間の放置があり、いわゆる特殊清掃を要するようなケースを挙げています。この場合も通例通り、告知が必要と明記され、原則として3年間とされました。誰にも看取られることなく、室内で死亡してしまう、いわゆる孤独死においては、発見までのスピードが影響の大小を分けます。死亡の発見が遅れると、特殊清掃や居室に残された家具等の残置物の処理、原状回復工事に多大な費用がかかり、オーナーの負担となることも少なくありません。加えて、告知を要する以上、家賃を相場よりも下げて募集しなければ次の入居者が決まらない可能性も出てくるでしょう。

わたしの会社の管理物件でも年間に数件程度、まさに万が一に近い確率ではありますが、孤独死が発生しています。そのため、孤独死防止策として、リスクの高い70歳以上の入居者に対して毎月必ず電話で連絡を取っています。部屋の設備に不具合がないか、また、困っていることがないかをお伺いして、生活サポートをしながら、定期的に安否確認しています。

ガイドラインに法的拘束力はありませんが、不動産会社の対応を巡ってトラブルとなった場合には、ガイドラインが考慮されることになります。

また、最近では孤独死リスクに備える保険という選択肢もあります。たとえば月２００円程度の負担で、１００万円までの保障がつき、生じうる損害の大部分を賄えるものです。

RISK 8 賃貸管理会社の倒産
信頼できる賃貸管理会社を選ぶ

賃貸管理会社に管理を任せている場合、入居者からの家賃や敷金はいったん賃貸管理会社に振り込まれます。そのため、賃貸管理会社が倒産した場合、家賃や敷金を取り戻すことはほとんど不可能です。

だからこそ、こうした事態を避けるためにも、大切な不動産を預けるのにふさわしい賃貸管理会社を選ぶことが大切です。ここでは、信頼のおける賃貸管理会社選びのポイントを紹介します。

倒産の兆候を確かめる

毎月決まった日に振り込まれていた家賃がたびたび遅れ始めるようであれば、それは賃貸管理会社の経営が行き詰まっているシグナルです。家賃入金の遅延が続くようであれば、賃貸管理会社の変更を検討すべきです。

ただ、解約するといっても、すぐにできるわけではありません。会社によって差はありますが、解約の事前告知期間が定められています。会社によっては、この事前告知期間前の解約については、高額の違約金が取られるケースもあります。

賃貸管理会社と契約する際には、解約の事前知期間と違約金の有無まで確認しておくと安心です。

安定した賃貸管理会社の見極め方

倒産リスクの少ない賃貸管理会社を見極めるためには、規模と実績から将来にわたる事業の安定性を確認することです。そのために見るべき数字は、管理戸数、オーナー数、そして創業からの年数です。

管理戸数が多ければ多いほど、一般的に賃貸管理会社の経営は安定します。賃貸管理業務はストックビジネスで、管理戸数が増えれば増えるほど、オーナーからもらう手数料の総額も大きくなり、安定した経営を行うことが可能です。

賃貸管理会社の財務内容が安定すれば、当然ですが倒産リスクも低くなります。健全にビジネスを行っていれば、オーナー数に比例して管理戸数も増えますので、オーナー数が伸びているかどうかも重要なポイントです。

また、創業年数の古さも賃貸管理会社選びの目安になります。事業を長く続けていけるということは、それだけ経営も安定しているということの証明でもあります。一般的に、立ち上げたばかりの会社ほど資金繰りには苦慮することが多いので、より安定的な賃貸管理会社を選ぶのであれば、創業年数も参考にするのがよいでしょう。

第 7 章

物件選びと同じくらい重要！
賃貸管理会社の選び方

7-1

賃貸管理と建物管理 2つの管理の違いを理解する

不動産投資を検討するお客様のなかで、よく勘違いされているのが、「物件を購入したら終わり」と思っていることです。むしろ逆で、不動産投資は物件を購入して終わりではなく、購入してからがスタートとなります。将来にわたって継続的に、安定して家賃収入を得るためには、購入したマンションをきちんと管理していかなければならないのです。

マンションを購入すると、「賃貸管理」と「建物管理」という2種類の管理と関わることになります。賃貸管理は、お部屋の内装の修繕や入居者の募集、クレームやトラブル対応など、いわゆる「ソフト面」の管理が主な仕事になります。一方で建物管理は、廊下やエントランスといった共用部分の保守、日常の清掃活動や管理組合の運営、さらに大規模修繕の計画や実行などのいわゆる「ハード面」の管理が主な仕事です。

賃貸管理は部屋ごとに管理を行うことから、管理会社はそれぞれの部屋で異なる場合が多く、建物管理はマンション全体の管理に携わるため、1棟につき1社が担当となります。

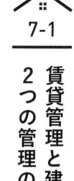

賃貸管理と建物管理の主な仕事

賃貸管理の主な仕事

- 家賃集金業務
- 滞納家賃督促業務
- 入居者募集業務
- 内装工事手配業務
- 設備故障の修理
  - 交換業務
- 入居者のトラブル
  - クレーム対応

マンションの
ソフト面の管理

建物管理の主な仕事

- 日常清掃業務
- エレベーターや浄化水槽などの設備の保守点検
- 修繕工事の実施・手配
- 大規模修繕工事計画の立案
- 管理組合の運営など

マンションの
ハード面の管理

それぞれの管理会社が健全な運営を行うために、オーナーは、賃貸管理会社には管理代行手数料を、建物管理会社には管理費を毎月支払うことになります。

7-2

賃貸管理会社はどんな仕事をしているのか

わたしの会社は30年以上、「マンションの「ソフト面」を管理する賃貸管理会社として、オーナー様の大事な資産であるマンションの管理を託されてきました。では、わたしたちのような賃貸管理会社は具体的にどのような仕事をしているのかご紹介します。

まずは入居者の募集です。入居者がいなければ、オーナーに家賃をお届けすることができませんので、CMで流れているようなさまざまなお部屋探しのWebサイト上に情報を掲載したり、自社の店舗で来店者にご紹介したりします。わたしたちのように、店舗を持たない賃貸管理会社は、賃貸仲介会社へ情報配信を行い、協力を得ながら入居希望者を募ります。

次に入居希望者から申し込みが入ったら、その方の審査を行います。きちんと審査を行わなければ、後のトラブルにつながりかねません。しっかりと審査したうえで、問題がないと判断した場合に入居していただきます。入居者が決まった後は、契約書の作成や鍵の受け渡しなど入居手続きを進めます。

入居中の最も大切な役割は、毎月必ず家賃を集金し、手数料を差し引いた金額をオーナーにきちんと送金することです。ほかにもエアコンや給湯器の修理・交換の対応、鍵の紛失や隣人とのトラブル対応、漏水事故や火災などへの対応やお部屋の修繕も管理業務となります。また入居前にどれだけ審査をしていたとしても、一定数は滞納してしまう入居者もおり、その場合には速やかに督促を行う必要があります。

契約の更新時期がきたら、更新か退去か入居者の意思を確認する必要が出てきます。更新をする際には更新を行うための手続きと更新料を徴収し、オーナーとの契約を改めて締結するやり取りを行います。

退去する場合には退去日を決め、手続きと退去立ち合いを行います。退去後には速やかにお部屋の内装工事の手配を行い、新しい入居者を迎える準備をします。さらに退去に先行して次の入居者の募集を始め、新しい入居者を1日でも早く決めるのです。

賃貸管理とは、大家さんが行っている業務を代行して、家賃収入を最大化することが求められる仕事です。そして、これらの仕事の総合力が高ければ高いほど、空室期間を短く、1日でも多い家賃収入をオーナーに届けられることになります。この空室期間は、賃貸管理会社によって大きく差が生まれるポイントでもあります。

このように、オーナーにとっていわば賃貸管理会社は不動産経営の成否を左右する重要な存在です。そのため、わたしたちは「賃貸管理業」を「賃貸経営サポート業」として再定義しています。オーナー様が一番期待する不動産経営を通じて実現する経済的自由を、パートナーとしてサポートすることをお約束しています。さらに大切なお客様である入居者様のお困りごとに対して迅速、丁寧に対応することで快適な住環境を提供し、安定して家賃収入がお届けできるよう日々努めています。

7-3

ランキングだけではわからない信頼できる会社の見分け方・選び方

毎年夏頃、全国賃貸住宅新聞によって全国の賃貸管理会社の管理戸数ランキングが発表されます。上位を見ると、大東建託グループや積水ハウスグループなど、一度は目にしたことのある会社が並びます。もちろん、大手には大手ならではのノウハウと技術が備わっていることから安心感はあります。とはいえ、上位に並んでいる会社の多くが、自社で分譲したアパートやマンションの管理をそのまま請け負っており、他社から自社に管理を乗り換えているお客様だけで管理戸数が増えているわけではありません。管理戸数は1つの目安となりますが、それだけで選ぶのではなく、大きく4つのポイントを参考に見極めるようにしましょう。

入居率の計算式

$$入居率 = 1 - \frac{空室}{管理戸数} \times 100$$

入居率や空室の基準はマチマチ

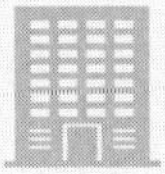

- **３月だけの入居率を表示**
- **自社ブランドのマンションに限って表示**
- **募集して１ヶ月経過してから空室をカウントする**　など

ポイント1　空室解消――いかに早く空室を埋められるか

不動産投資における大きなリスクは「空室」です。ローンで物件を購入した場合、毎月の家賃収入でローンを返済していくため、家賃が入らないことはオーナーにとっては致命的です。その空室期間をいかに短くするかがカギとなります。

空室期間の見極めは、各賃貸管理会社が公表している入居率と平均空室期間を確認しましょう。注意が必要なのは、入居率と空室の定義は賃貸管理会社ごとに違うという点です。例えば、1年間のうち、最も入居率の高い期間だけを切り取って紹介していたり、内装工事が完了して数か月経ってから空室とカウントしたりしている会社もあります。わたしの会社は毎月、前月末時点の入居率を公表しています。また平均の空室期間については、四半期に一度『ワンルームマンション賃貸実績レポート』を公表し、エリアや築年数ごとの平均空室日数をＷｅｂサイトでいつでも確認可能にしています。

ポイント2　入居者トラブル――早期に問題を突き止め解決へと導けるか

どんなに好立地のきれいなマンションだったとしても、そこに入居する人々の間で起きたトラブルを放置してしまうと、入居者の退去につながってしまいます。そのため、トラブルの原因を探り、発端となっている問題を突き止めて解決しなければなりません。

しかし、入居者トラブルの解決はそう簡単ではありません。例えば入居者の生活音に関する騒音問題が発生したとしましょう。まず、どの時間にどのような騒音があるのか確認しなければなりません。なかには入居者の勘違いということもあるので、実際に現地に向かい、その音を突き止めます。とはいえ、この騒音の発生源の入居者に直接声をかけることはできません。当然ですが、該当の入居者に問いただす前に、まずは素性を明かす必要があり、そこからどこの部屋の入居者がクレームを出したのかを突き止められて入居者が逆恨みされるリスクがあるからです。この場合、まずは建物管理会社に連絡し共用部の掲示板などで注意喚起をしてもらいます。それでも収まらない場合には、建物管理会社から該当の部屋を管理する賃貸管理会社に連絡をしてもらい、その賃貸管理会社の担当者から入居者へ是正を行ってもらいます。

このように、入居者トラブルは自社が管理するお部屋の入居者を守りつつ、速やかに対応していく必要があるため、トラブル対応の専門部署がある賃貸管理会社を選びましょう。また、入居者からのクレームも受け付けられるよう、入居者専用のコールセンターの有無も確認事項のひとつです。

ポイント３　営業マンよりも管理スタッフのほうが人員の割合が多い

不動産会社の多くは販売をメインにしていることもあり、より多くの人員が営業マンに割かれます。多いところでは、営業マンと管理スタッフの割合が８：２で構成されている会社もあります。繰り返しになりますが、不動産投資は買って終わりではなく、買ってからがスタートです。手薄な管理スタッフで前節でご紹介したような多岐にわたる業務をこなせるでしょうか。マンションを購入後、いかに健全な賃貸管理が運営されていくかがカギとなります。そのため、営業マンよりも管理に携わるスタッフに人員を割いている賃貸管理会社を選ぶことが、第1の条件となります。

ポイント4 分業制──「なんでもやります！」という営業マンからは離れるべき理由

何度もお伝えしている通り、賃貸管理の業務は多岐にわたります。それも単純な業務ではなく、それぞれ専門的な知識が必要となる業務です。よく「なんでもやりますので何かあったら連絡ください」と意気揚々とお伝えする営業マンを見かけます。ただ30年以上にわたって賃貸管理に携わってきたわたしたちからすれば、1人の営業マンがなんでもできるわけがないのです。

いち営業マンがお客様との接客の合間を縫って、入居者募集のために仲介会社を訪問し、滞納督促のため物件を訪問し入居者や保証人と交渉し、また別のお部屋の鍵交換に出向く。このような状況で健全な賃貸管理が運営し続けられるかというと、疑問を感じずにはいられません。入居者募集には入居者募集のプロが責任をもって入居希望者を集め、トラブルを抱える入居者様には交渉に長けた専門のスタッフが対応し、設備や内装の不具合には修繕工事のプロが協力会社と円滑なコミュニケーションを取りながら、その采配を行う必要があります。

7-4 賃貸管理契約の種類と特徴（集金代行とサブリース）

賃貸管理会社を選ぶことと併せて、どのような管理契約を結ぶかも決めなければなりません。物件の賃貸管理には「集金代行契約」と「サブリース契約」の主に2種類があります。

集金代行契約

集金代行契約は賃貸管理会社がオーナーの代理人として、入居者から家賃を集金しオーナーへ送金する契約です。そのほかにも、入居者募集やトラブル対応、退去後の敷金の精算対応・内装工事手配など、さまざまな「大家業」を代行します。

集金代行契約とサブリース契約

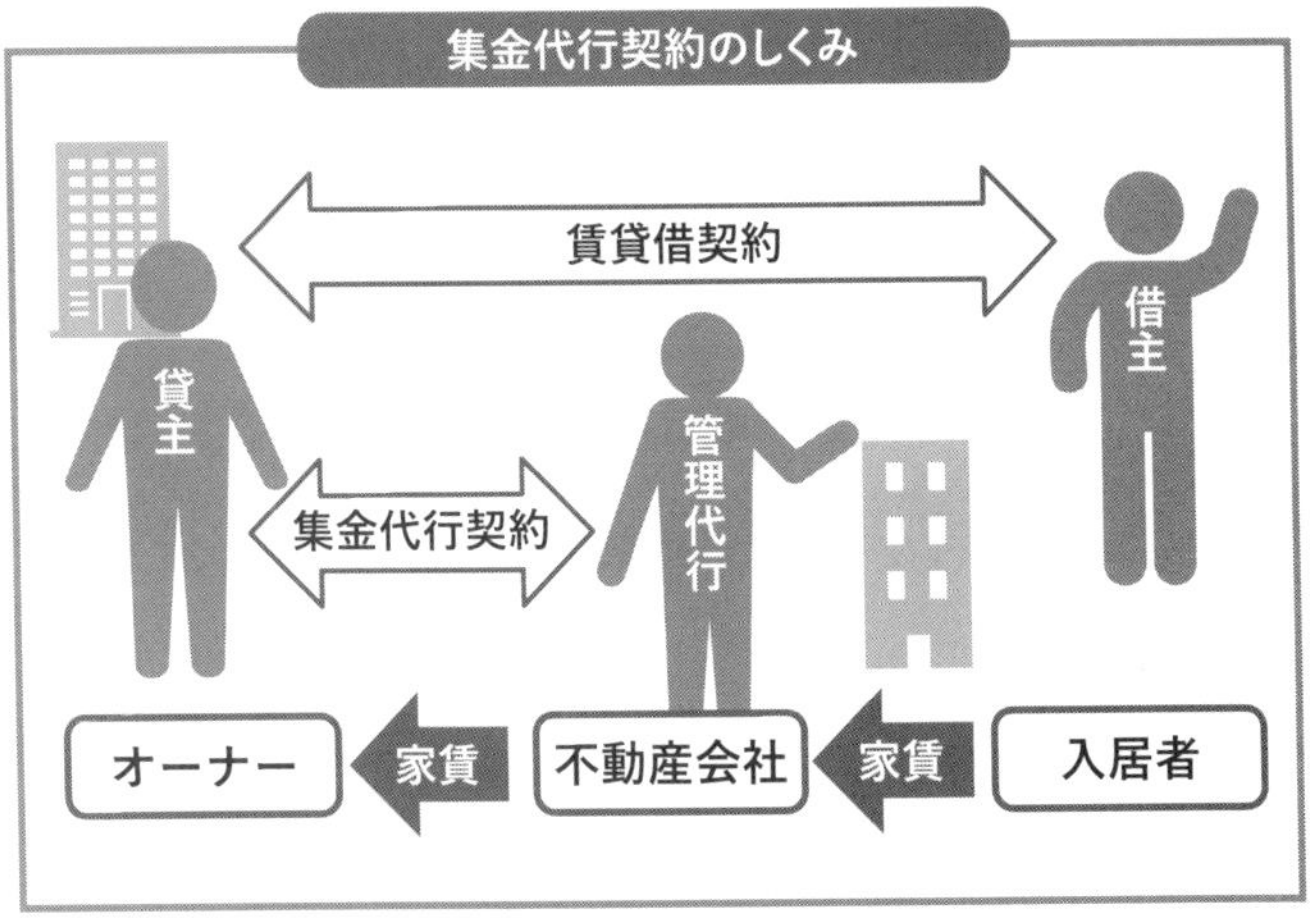

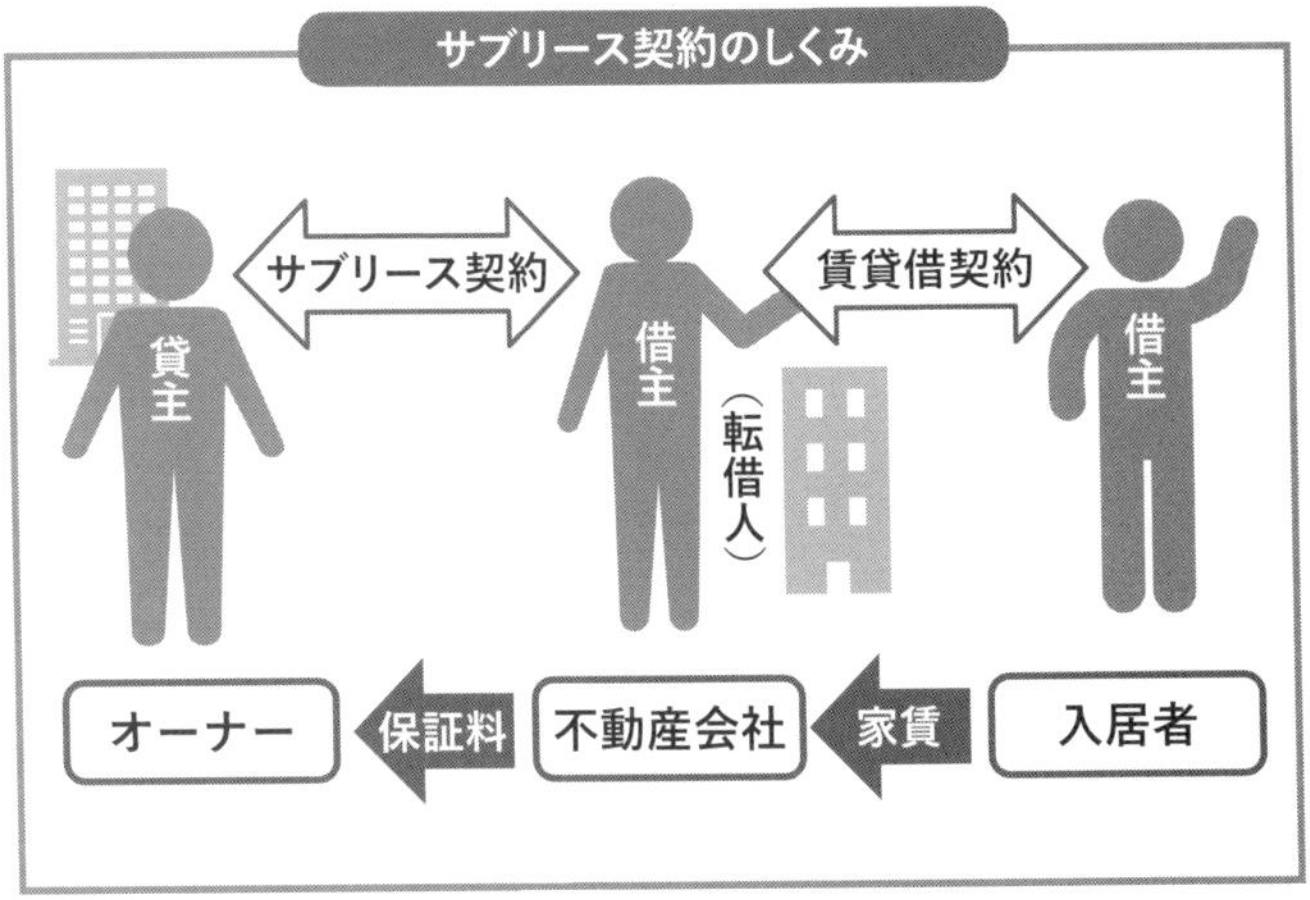

サブリース契約

サブリース契約は、不動産会社がオーナーから物件を借り上げて入居者に転貸する契約方式です。オーナーにとっては不動産会社が借りてくれることから、空室の心配がなく安定して家賃収入を得続けることができます。ただし注意が必要なのは、満額の家賃収入が受け取れないということです。これは、家賃の一部を不動産会社が手数料として受け取る仕組みとなっているからです。相場で言えば、家賃の1〜2割程度でしょう。

そもそも、安定した賃貸需要のある立地で不動産投資を行えば、空室リスクは抑えることができます。賃貸需要が旺盛な地域であれば、あえてサブリース契約を選ぶ必要はありません。

またサブリース契約に関しては、2020年12月に賃貸住宅の管理業務等の適正化に関する法律、いわゆる「サブリース規制法」が施行されました。これまで、サブリース契約に関するトラブルが多発したことを受けてのことです。いずれにしても、不動産投資はサブリース契約を必要としない立地や物件の条件が一番望ましいのは事実です。サブリース契約を勧められている場合には、本当に必要かどうか検討しましょう。

7-5 建物管理の健全性を確かめる7つのチェックポイント

最後にマンションの資産価値を保つうえで欠かせない「建物管理」についてもお話しします。建物管理は、マンションのオーナーで結成される管理組合が主体となり、決定事項の管理実務を委託する建物管理会社が実行することです。実際にどのような建物管理が行われたかについては、年に一度送られてくる管理組合総会の議案書で確認することができます。

総会の議案書は、開催日の約1～2週間前にオーナーの自宅に届きます。議案書が届いたら次の7つのチェックポイントについて確認を行いましょう。

☑建物管理の健全性を確認する7つのチェックポイント

①管理費会計・修繕積立金会計それぞれに収支表や賃貸対照表があるか
②銀行口座の残高証明書は添付されているか

③監査報告書に監事の署名捺印はあるか
④赤字決算になった際には原因が報告されているか
⑤組合のお金の管理について、通帳と印鑑が別々に管理されているか
⑥管理費・修繕積立金の滞納状況（未収金）は報告されているか
⑦現在の修繕積立金の残高などを考慮して修繕計画が立てられていることが、きちんと説明されているか

年に1回とはいえ、プライベートの時間を割くことに「めんどくさいな」と感じられる方も多いと思います。確かにオーナーのなかには、管理組合へ積極的に参加していない方が多いことも事実です。しかし、これはマンションの資産価値を維持・向上させるという意味では非常に危険な行為です。過去には、管理組合が積極的ではないことを理由に、建物管理を放置していた管理会社がありました。健全な建物管理が行われないと、修繕されるべき箇所が修繕されず、ずさんな資金計画で、いざ大規模修繕を行おうとしても十分な資金がたまっていない、なんてことも起こってしまいます。一度、荒廃してしまったマンションをよみがえらせるのは簡単なことではありません。老後の資産計画がすべて頓挫す

建物管理の健全性を確認する7つのチェック項目

❶ 管理費会計・修繕積立金会計それぞれに収支表や貸借対照表があるか

❷ 銀行口座の残高証明書は添付されているか

❸ 監査報告書に監事の署名捺印はあるか

❹ 赤字決算になった際には原因が報告されているか

❺ 組合のお金の管理について、通帳と印鑑が別々に管理されているか

❻ 管理費・修繕積立金の滞納状況（未収金）は報告されているか

❼ 現在の修繕積立金の残高などを考慮して修繕計画が立てられていることが、きちんと説明されているか

ることになりかねないのです。大切なマンションの資産価値を落とさないためにも、積極的に管理組合に参加し、建物管理をチェックするようにしましょう。

第8章

不動産投資と税金
これだけは覚えておこう

8-1

うまい話に乗せられない！不動産投資と節税の関係

「不動産投資を始めると節税になる」という話をあなたも聞いたことがあるかもしれません。たしかに、不動産投資をすることで、短期間では所得税の節税になるケースもあります。

ところが、節税効果はずっと続くわけではありません。ある時期がすぎれば所得税の節税効果はなくなってしまいます。

世間でよくいわれている不動産投資の節税について、その危険性を確認していきましょう。さらに、家賃収入を得ると、いったいいくら所得税がかかるのか、その目安となる金額の考え方や家賃収入の確定申告についても確認していきます。

節税になるメカニズム

そもそも、なぜ不動産投資をすることで、所得税が節税できるのか。安易なうまい話に乗せられないためにも、まずは税金の計算方法の全体像をつかんでおきましょう。

所得税が毎月の給料から天引きされているサラリーマンを例に考えてみます。サラリーマンの場合、本来、自分自身が納める必要のある所得税を会社が代わりに計算して、納付してくれます。

その一方で、不動産投資で家賃収入を得ていたとしても、会社は不動産投資でどれだけの利益があがっているのか、そもそも不動産投資をしているのかさえわかりません。そこで、不動産投資で利益をあげている人は、自分自身で不動産から得られた所得を計算して、その分の税金を納める必要があります。これが確定申告です。

不動産投資で黒字が出た場合には、確定申告で自分が納める税金を計算して納めますが、一方で赤字が出た場合には、これまで会社から天引きされていた所得税も、赤字のぶんだけ取り戻すことができるのです。

これは税金を計算するときに、給料収入と不動産から得られる収入の2つを合算したうえで、納めるべき税金を決めるというルールがあるからです。これを損益通算といいます。

次の図は、①不動産から年間100万円の所得が得られた場合と、②不動産投資で年間100万円の赤字を出した場合の計算です。

①のケースでは、会社から給与所得500万円に対する税金はすでに天引きされているので、不動産所得100万円に対する税金分は自分で計算して納付します。これを確定申告で行います。

②の100万円の赤字が出たケースでは、本来であれば差し引き400万円分に対して所得税を支払う必要がありますが、すでに500万円分に対する所得税が天引きされています。この場合は、不動産所得の赤字100万円分の税金をよけいに支払っていることになるので、その分の税金が確定申告で戻ってきます。

なお、税金が節税できるといっても源泉徴収された所得税額以上に税金が戻ってくることはありません。年間の所得税が20万円であれば、税金の戻りの最大額は20万円です。

サラリーマンの不動産所得の計算のしかた

給与所得と不動産から得られる所得の
2つを合算して申告税額を決める

①不動産から年間100万円の所得が得られた場合

給与所得		不動産所得		通算所得
500万円	＋	**100万円**	＝	**600万円**

＋100万円について確定申告する

↓

納税

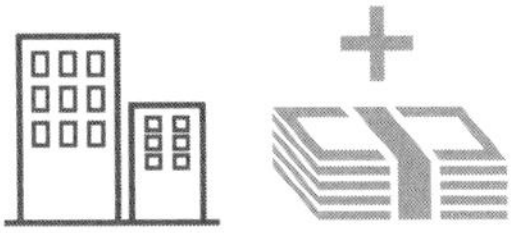

②不動産投資で100万円の赤字を出した場合

給与所得		不動産所得		通算所得
500万円	＋	（－**100万円**）	＝	**400万円**

-100万円について確定申告する

↓

税金の還付

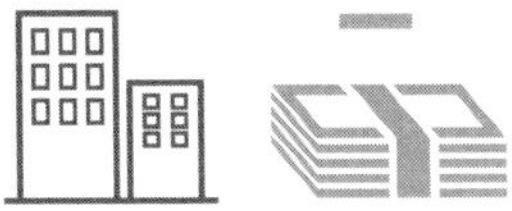

赤字の決め手は減価償却費

不動産投資で赤字を生み出すもととなるのが、実際のお金の支出を伴わない計算上の費用である減価償却費です。減価償却費は購入した不動産の金額を購入時に一括して費用として計上するのではなく、将来にわたって利用可能な年月に分けて毎年費用として計上しようというものです。

新築の鉄筋コンクリート造マンションの法定耐用年数は47年とされていますから、47回分割で費用を計上することになります。

中古物件の場合は、次の計算式で取得時の耐用年数を算出します。

新築時の耐用年数－経過年数＋経過年数×0・2＝取得時の耐用年数

不動産投資でいう赤字とは、「お金の支出＞お金の収入」ではなく、「帳簿上の費用＞帳簿上の売上」を指します。ですから、帳簿上では赤字になっていても、実際のお金の動きを見るとプラスになり、さらに税金まで戻ってくるということがあるのです。

減価償却の考え方

お金の支出が伴わない費用では
減価償却費の金額だけ手もとに現金が残る

計算上の不動産所得 →	実際のお金の流れ
家賃収入 ………… 100 万円	家賃収入 ………… 100 万円
減価償却費 ……… 30 万円	なし
その他の費用 …… 20 万円	その他の費用 …… 20 万円
不動産所得 ……… 50 万円	**手元資金 ………… 80 万円**

↓

ここで所得税を計算

不動産投資の赤字とは？

お金の支出 ＞ お金の収入 …… ×

帳簿上の費用 ＞ 帳簿上の売上 … ○

その帳簿上の赤字を生み出す要因となるのが減価償却費です。減価償却費の最大の特徴は、「実際にお金の支出がない、帳簿上の費用」であるという点です。

実際にお金が出ているわけではないのですが、不動産の所得を帳簿上で計算するときに、便宜的に費用として計上しているのです。そのため、手元に残ったお金と帳簿上のお金の不一致が生まれます。

さらに、所得税の計算は手もとにある現金をもとに行われるのではなく、帳簿上の利益に対して税額計算が行われます。図の場合、減価償却費を考慮して計算した不動産所得50万円に対して税金が計算され、手もとの現金80万円をもとに税金が計算されるわけではありません。減価償却費があることで、帳簿上の利益も少なくなり、その少なくなった利益の分だけ節税できるのです。

8-2

節税目的の不動産投資は間違い

減価償却費のおかげで節税になるといっても、いつまでも多額の減価償却費を計上できるわけではありません。いずれその効果もなくなり、黒字転換します。節税効果があるといっても、未来永劫節税効果が続くわけではありません。節税効果が尽きるときは必ず訪れるのです。

不動産投資でしっかりと利益が出て、黒字になるということはそれだけ投資がうまくいっているということです。

税金が気になるのであれば事前の資金計画のなかにもしっかりと所得税の項目を入れておきましょう。不動産から家賃収入を得ることができて、さらに税金まで安くなる。そんなうまい話はありません。

節税目的は本末転倒

節税だけを目的にした不動産投資は間違いです。不動産投資の真の目的は長期安定収入を得ることです。

今から30年ほど前のバブル時代には、節税や値上がりを目的にした不動産投資ばかりがもてはやされました。そうした節税目的で投資をしていた人たちは、その後どうなったでしょうか。多額の借金を抱え続けた人や多額の損を出して物件を手放した人、節税目的の不動産投資をしたせいで、一家が離散してしまった……。そんな悲劇的なことも実際に起きているのです。

不動産投資の目的は長期安定収入を得ることです。決して節税や値上がり益（売却益）を目的にしたものではありません。節税効果を得るためだけに不動産投資をするようになると、物件選びもおのずと本筋から離れてきてしまいます。不動産投資の目的を、もう一度しっかりと押さえておきましょう。

必要経費を正しく認識し、確定申告する

1年間で入ってきた不動産所得に対する税金を毎年1回計算して、自分自身で税金を納める必要があります。これが確定申告です。

確定申告のポイントは収入と経費を正しく認識し、計算の際にしっかりと考慮に入れることです。不動産投資の収入については、主に家賃収入、更新料、礼金など限られているので混乱はありませんが、必要経費については種類も多いため、何を基準に経費とそうではないものを分けるのかもしっかりと認識しておく必要があります。

不動産投資をするうえで必要経費として認められるのは、「不動産を第三者に貸して家賃収入を得るという行為に対して、それが必要な支出」ということです。

ですから、プライベートな食事や旅行、観劇などの遊興費は不動産に投資をしているといっても、必要経費にはなりません。よく不動産投資をすればなんでも必要経費として計上できると考えられている方もいますが、必要経費はあくまでも不動産投資に関する支出に限られます。

代表的な10の必要経費

では、必要経費として計上することのできる代表的な10項目について、1つずつ確認していきます。

1 管理費

建物管理会社に対して毎月支払う管理費は必要経費になります。建物管理会社が行う管理業務は主に以下の通りです。

・エレベーターや給排水設備、電気設備など建物設備の保守管理業務
・エントランス、廊下など共有部の清掃
・各種消防設備の法定点検業務
・管理組合の運営サポート

2 修繕積立金

建物管理会社に対して毎月支払う修繕積立金も必要経費になります。積立金という名称

おもな必要経費とローンに関する扱い方

(1)管理費
(2)修繕積立金
(3)賃貸管理代行手数料
(4)損害保険料
(5)減価償却費
(6)修繕費
(7)各種税金
(8)ローン返済額のうち利息部分
(9)ローン保証料
(10)税理士に支払う手数料

ローン返済額のうち経費計上できるのは、利息部分のみ

例：返済額　10万円/月　うち元本6万円、利息4万円

ローン返済額	内訳	扱い
ローン返済額 10万円/月	**元本 6万円**	必要経費として計上不可
	利息 4万円	必要経費として計上可

※例外：不動産所得が赤字だったら？
　土地の取得にかかる利息部分については損益通算の対象とならない

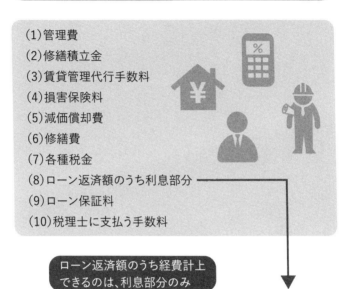

がついていますが、管理組合の共同財産として将来の建物全体の修繕にあてることが目的のため必要経費として計上することができます。

3 賃貸管理代行手数料

入居者からの毎月の家賃の集金や入居者のトラブル対応、空室時の入居者募集など、賃貸管理会社に支払う手数料も必要経費として計上することができます。主な賃貸管理業務は次のとおりです。

・家賃の集金代行
・空室時の入居者募集
・入居中のトラブル対応
・退去時の内装工事の手配
・賃貸借契約、更新契約など各種契約業務
・エアコンや給湯器の設備交換業務　など

4 損害保険料

投資用不動産にかけた火災保険や地震保険は必要経費として計上することができます。ただし、加入期間中の保険料を全額前払いしたとしても、必要経費として計上できるのは1年につき1年分のみです。全期間にかかる保険料を加入した年に必要経費として計上することはできません。

5 減価償却費

減価償却費とは、不動産の取得費用をその年の経費として一括して計上するのではなく、利用可能な期間にわたって取得費を配分して、各年に費用として計上するものです。

前述した帳簿上の赤字を生み出す経費です。

6 修繕費

入居者が退去した後の内装工事費やエアコンや給湯器などの設備交換費用も必要経費として計上することができます。

なお、修繕費が原状回復するための支出ではなく、不動産の価値を増加させるような支出があった場合、その年の必要経費として全額を計上するのではなく、利用可能な期間に分割して経費として計上します。

7 各種税金

投資用不動産の購入に際してかかる不動産取得税や保有することで毎年課税される固定資産税、また購入に伴う印紙税も必要経費として計上することができます。

必要経費に計上できる税金は、

・不動産取得税
・固定資産税
・印紙税

一方、必要経費に計上できない税金もあります。それは次の２つの税金です。

・所得税
・住民税

8 ローン返済額のうち利息部分

投資用不動産の購入に際して利用した借入金の返済額のうち、利息相当部分のみが必要経費として計上することができます。実際のお金の支出は元本返済部分も含めた金額になりますが、元本部分は経費として計上できないので注意が必要です。

なお、ローン返済額のうち利息部分であっても、総収入金額から経費を差し引いた不動産所得が赤字の場合には、利息の全額は経費として計上することができず、土地に関する利息部分は経費として計上できません。

9 ローン保証料

投資用不動産を購入する際に利用したローン保証料も必要経費として計上することができます。なお、金融機関によってローン保証料を利息に含めていることがあるので、確認してみましょう。

10 税理士に支払う手数料

税理士に確定申告書の作成を依頼する場合は、税理士に支払う報酬も必要経費として計上することができます。

そのほか、交通費や新聞図書費、通信費も不動産経営に関するものであれば経費として計上することができます。例えば次のようなものです。

・交通費（所有物件の確認や管理会社との打ち合わせに要する交通費）
・新聞図書費（不動産投資や税金など不動産に関する書籍の購入費用）
・通信費（管理会社との電話による打ち合わせや書面でのやり取りによる郵便代）

なお、経費として計上できるのは、社会通念上認められる範囲内となります。例えば、地方から東京の物件を見に行く名目で何度も交通費を計上することはできませんし、個人の携帯料金の全額を通信費として計上することもできません。

不動産所得の必要経費にならないものもある

次に、不動産所得で必要経費として認められない代表的な項目を確認していきます。ここで挙げた項目は、税務署から不動産所得に関する申告状況を確かめる書面でも紹介されているので、間違わないようにおさえておきましょう。

・修繕費や、地震保険料などで自宅に関するもの

- 毎月のローンの返済のうち、元本の返済に該当するもの
- 私生活に関する費用（食費や光熱費、電話代など）
- 不動産を売却した場合の譲渡損

なども必要経費にはなりません。

なお、売却に伴って発生する次の支出は譲渡所得を計算する際に経費として計上することができます。

- 不動産を売却した際の仲介手数料
- 測量費など土地や建物を売るために直接要した費用
- 売却に際して支払った立退料
- 建物を取壊して土地を売ったときの取壊し費用

ちなみに、税理士法の規定で、税理士または税理士法人以外の人が、確定申告書の作成を代理したり、一般的な税法の解説や仮定の事例に基づくシミュレーションを除いて個別具体的な税務相談に応じることは禁じられています。不動産会社の担当者から回答できる範囲には限りがありますので、確定申告書の作成を代行して欲しいときは不動産会社を通

じて専門家を紹介してもらいましょう。

第9章

今こそ東京の中古ワンルームで不動産投資を始めよう！

9-1

東京の中古ワンルームは「今が買い時」の理由

ここまで東京の中古ワンルームの魅力やリスクを抑えた資産の増やし方、賃貸管理の重要性や税金など、様々な観点からご紹介をしてきました。では、そんな東京中古ワンルームは一体いつが買い時なのでしょうか。結論からいうと、それは「今」です。東京の安定した賃貸需要や将来性、そして継続している低金利によって借りて始めやすいことはもちろん今投資すべき理由になりますが、それと同じくらい大事な要素があります。

9-2
収益は資本×利回り×時間で得られる

不動産投資に限らず、投資を考えるうえで、まず頭に浮かぶのは利回りだと思います。もちろん投資をするからには収益を考えなければなりませんので、利回りは非常に重要な指標であることは間違いではありません。とはいえ、利回りだけにとらわれることではいけません。例えば、10万円を10%で運用しても、その収益は1万円です。この金額が目標としている収益であれば問題ないのですが、この本を手に取り不動産投資を実践しようと考えているあなたにとっては、少しギャップがあるのではないでしょうか。一方で、高い利回りを追及すれば良いかというとそうでもありません。高い利回りにはそれ相応のリスクが付きまとうからです。リスクとは言い換えれば、価格の変動率です。極端な話、１００万円を入れて利回り50%が得られる可能性がある金融商品は、1年で１５０万円に増える可能性がある反面、半分の50万円に減ってしまう可能性もあるわけです。

そこで大事なのは、「資本×利回り×時間」で収益を考えていくことです。そして高ければ高いほどリスクが大きくなる利回りの数字だけを追求するのではなく、資本と時間を最大化していくことでリスクを抑えながら収益の最大化を追求することができます。

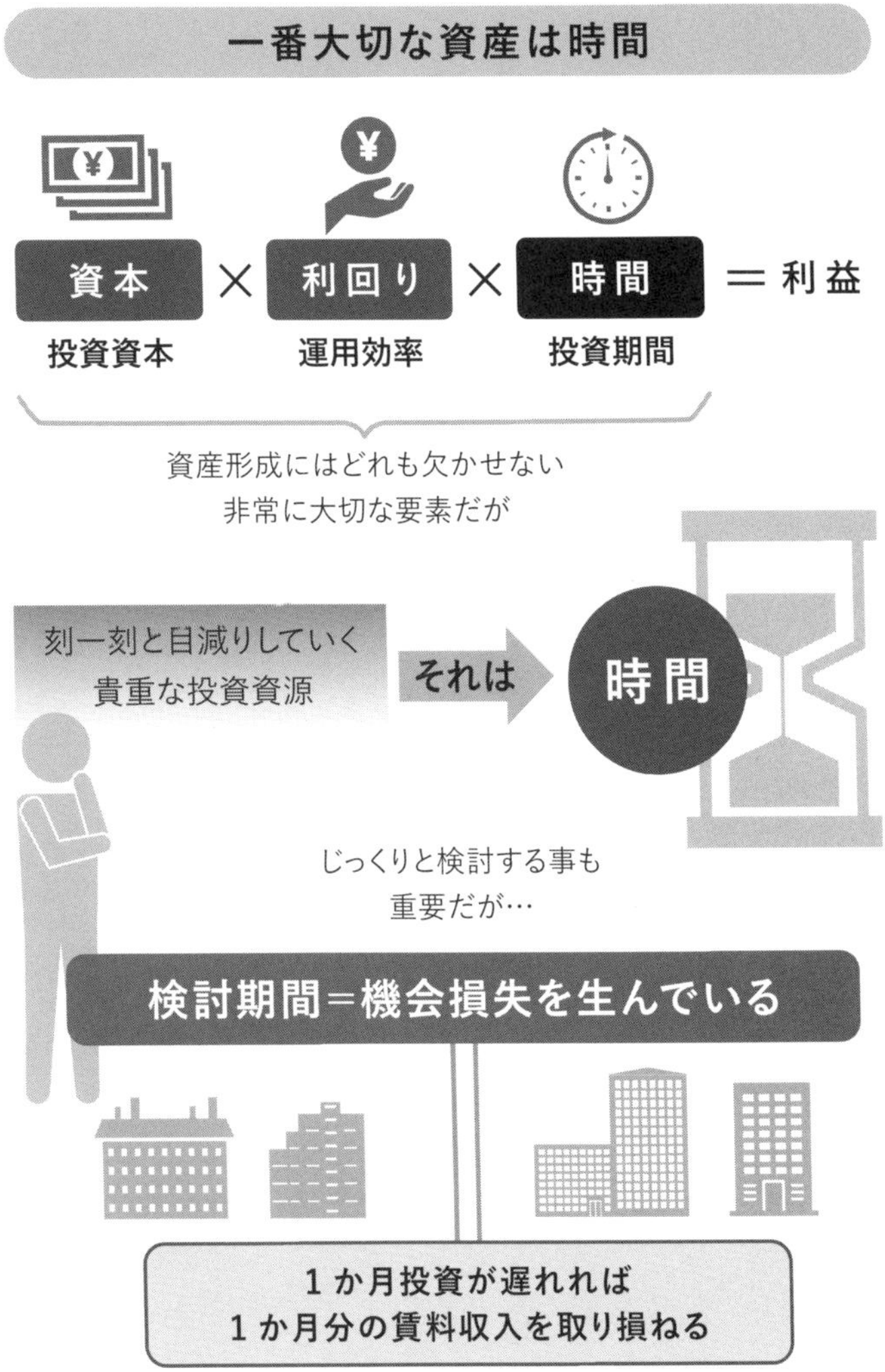
一番大切な資産は時間
資本
投資資本
×
利回り
運用効率
×
時間
投資期間
＝利益
資産形成にはどれも欠かせない
非常に大切な要素だが
刻一刻と目減りしていく
貴重な投資資源
それは
時間
じっくりと検討する事も
重要だが…
検討期間＝機会損失を生んでいる
１か月投資が遅れれば
１か月分の賃料収入を取り損ねる

9-3

一番大切な資産は時間

この3つの要素のなかでも、特に大事なのは「時間」です。

「時間」は誰しも平等に与えられた投資資源です。しかし、刻一刻と目減りしていることも事実です。

不動産投資は大きなお金が動く分、じっくり検討したいという気持ちもよく理解できます。しかし、検討に1か月要すれば、1か月分の家賃収入を取り損ねることと同義です。それが2年、3年と続けば数百万円の損失となります。例えば、月々の家賃収入が8万円の東京の中古ワンルームマンションであれば、年間96万円の家賃収入が見込め、3年後には288万円も生み出してくれます。もちろんその間に空室があったとしても、当社平均の空室日数は約1か月ですので、280万円ほどは期待ができます。

そして何より考えなくてはいけないのは、失った時間は絶対に戻ってこないということです。確かに、お客様の資産や生活の状況次第では不動産投資に手を出すべきタイミングではない方もいます。そのような方にはわたしの会社では決して、無理に不動産投資をすることを勧めません。一方で、始められる条件が整っている方にとっては、その検討時間が延びれば延びるほど、機会損失を生んでいるとも言えます。

時間は無限ではなく有限です。そして、その時間とともに失ってしまうのが「信用力」です。

9-4 使わなかった過去の信用力は取り戻せない

信用力とは、この人なら融資しても良いと金融機関が判断するための指標です。そこには、年収や勤続年数、ほかのローンの残債などさまざまな要素のバランスが介在します。不動産投資用のローンであれば、早ければ20代半ばから融資をしてもらえますが、その融資額の上限は年収によって決まってくるため、若いころはほとんどの場合そこまで大きな金額が借りられるわけではありません。

では、十分な年収にたどり着くまで不動産投資は控えるべきかといわれると、そうではありません。時間と同様に失った信用力は、過去に戻って使うことはできないのです。30代の方が20代の頃に持っていた信用力を使うことはできませんし、定年を迎えた方が現役時代にいくら稼いでいたとしても、過去の信用力を使うことは不可能です。

また信用力は一時的に活用することができなくなるタイミングもあります。例えば、転職直後は金融機関からの融資を受けることが難しくなります。ほかにも大きな病気をしてしまうと同様に融資は難しくなるでしょう。ローンの利用には団体信用生命保険への加入が不可欠であり、健康状態に不安を抱える人はこの保険に入れないからです。「去年なら投資できたのに」そんなことをお話しされるお客様は多数いらっしゃいます。じっくり検討することは大事なことです。ただ信用力を生かすタイミングを間違ってしまうと、本来築けたはずの資産にたどり着かなくなる可能性もあることを、ぜひ覚えておいてください。

9-5 FIREを達成した先輩投資家たちが語る時間の使い方

「後悔しています」

これはわたしの会社で不動産投資をスタートする方から、たびたびお聞きする言葉です。「不動産投資なんかするんじゃなかった」そんな意味ではありません。これは「もっと早く始めておけばよかった」といった意味の後悔です。この言葉からも、先輩投資家たちがいかに早く不動産投資をスタートし、コツコツ資産形成を進めてきていればよかった、と感じているかうかがえます。

1章でご紹介した『不動産投資とFIREに関するアンケート調査』では、1254名のオーナー様から回答をいただき、そのうちのおよそ7人に1人が「経済的自由を実現している」と回答しました。さらにそのうちの4割が50代以下で、その過半数の方が実際にFIREを達成していると答えたのです。そしてFIREを達成した方がどのくらいの期間不動産投資を行っていたかというと、平均で11年という結果で、平均総所有戸数は15戸でした。つまりＦＩＲＥを達成するためには、およそ10年という歳月をかけながら、毎年1戸以上のペースで資産形成を進めていくことが目安となります。

10年間といえば、長い時間のようですが過ぎ去ってみれば、あっという間です。東日本大震災、安倍内閣への政権交代、ギリシャ金融危機、消費税10％、コロナショック、そして東京オリンピック。少し出来事を挙げるだけでも目まぐるしいこの10年の間、あなたはどのように過ごしてきたでしょうか。資産形成の歩みを進めずに過ぎた時間はもう戻ってきません。不動産投資は一発逆転のギャンブルではなく、長い目で着実に資産を増やしていかなければならないのです。ただ、時間をかければ誰もが資産を築くことができることも東京中古ワンルーム投資の魅力のひとつです。10年という時間を最大限に活用してコツコツと資産形成を進めれば、老後を待たずに経済的自由、そしてＦＩＲＥという生活を手に入れることは決して不可能ではない未来の話です。

その未来を実現させてくれるものが東京中古ワンルーム投資です。何かしなければと思っているのであれば、今こそ東京の中古ワンルーム投資を検討してみてはいかがでしょうか。

付録

東京中古ワンルームマンション投資で早期リタイアを実現したオーナー様の生の声

付録

東京中古ワンルームマンション投資で早期リタイアを実現したオーナー様の生の声

本章ではここまでお話した「東京・中古・ワンルームマンション」投資についてより具体的にお伝えするため、わたしの会社で不動産投資を開始し成功されたお客様へのインタビューをお届けします。

ご登場いただくのは40代にして手取り家賃収入年2500万円を実現、勤めていた会社を早期リタイアした村野博基氏(45)です。普通の会社員だった村野氏がどのように物件を増やしていったのか、不動産投資で成功するためにはどうすればよいのか、サラリーマンの視点から本音で語った生の声をご紹介しますので、今後の資産形成の参考になれば幸いです。

村野博基（むらのひろき）

1976年生まれ。慶應義塾大学経済学部を卒業後、大手通信会社に勤務。社会人になると同時期に投資に目覚め、外国債・新規上場株式など金融投資を始める。その投資の担保として不動産投資に着目し、やがて不動産が投資商品として有効であることに気づき、以後、積極的に不動産投資を始める。東京23区のワンルーム中古市場で不動産投資を展開し、2019年に20年間勤めた会社をアーリーリタイア。現在、自身の所有する会社を経営しつつ、東京23区のうち17区に計29戸の物件を所有。さらにマンション管理組合事業など不動産投資に関連して多方面で活躍する。

――最初に現在お持ちの不動産と、運用状況をお教えください。

東京都内17区で中古ワンルームマンションを中心に29戸と自宅を所有しています。管理費と修繕積立金を差し引いた手取りの家賃収入が年間約2500万円で、そこからローンの返済などで約1650万円を支払っています。

2004年から不動産投資を始めて、2021年までに29戸を購入しました。リーマンショックで2009〜2012年の間は購入していませんでしたが、それ以外は毎年1〜4戸の物件を購入してきました。

――17年間で29戸はすごい数ですね。

ありがとうございます。よくそのように言われるのですが、こつこつと少しずつ購入し続けていたら結果的にこんな数になっていました。しかし、不動産投資は借入れが活用できるので、時間をかければやろうと思えばできますよ。

おそらく皆さんそこまで増やさないのは「不動産危ないな、怖いな」「ほかの投資方法があるんじゃないか」という気持ちがあるからだと思うんです。そのため、不動産投資を始めて1戸買ってそのまま、という方が多いのではないでしょうか。

所有物件が1戸だけだと、借入があれば空室になると持ち出しとなりますし、手元に残る金額も少ないので選択肢もあまり無いかと思います。しかし、2、3戸と買い増ししていくと、収入も増えますし、たとえ1戸が空室であってもカバーできるようになります。そうすることで、収益の安定感が増し幸せだと感じられるようになると思います。

例えば、自己資金10万円で、フルローンで物件を購入して2万円手元に残ったら、20％の利益が出ますが、空室となると逆にローンの支払い分だけマイナスになります。ですが、2、3戸と買い増ししていけばいくほど、プラスかマイナスの2択ではなくなり、収入が増え、リスクも減っていくのです。なので、区分マンションの投資を始める際には複数戸所有することをおすすめします。

FXで一瞬にして数百万の損失…。軸足を「無敵」の不動産投資へ

――今、世の中には様々な金融商品がありますが、現在の投資スタイルは最初から「これだ」と思っていたのでしょうか。

いいえ、そんなことはなかったですね。投資自体は新入社員のころから行っていますが、最初のうちは国債や株式投資がメインで、自分の投資スタイルについて特に整理したり考えてはいなくて。やはり不動産投資を始めたことが大きいですね。

不動産投資にしても、もともとは株式をもっと大きな金額で運用するための担保として機能しないかな、と思っていたくらいでした。それが10戸、15戸と所有物件が増えてきた段階で、株式投資のように売買で利益を出すよりも、資産を積み上げていったほうが最終的には幸せなんじゃないかと思うようになりました。

――株式投資などから不動産投資へと軸足を変えたきっかけは何ですか。

株式投資をしていたころに漠然とした不安はあったのです。いつか負けるんじゃないか、いつか全部なくなってしまうんじゃないかって。それでだんだん怖くなってくると手堅い方法を取るようになるんですね。すると利回りが悪くなる。これじゃまずいと思って、レバレッジをかけよう、という方法に至り不動産投資を始めました。そして徐々に不動産投資の規模は拡大していったのですが、完全に軸足を変えた理由のひとつはFX（外国為替証拠金取引）で負けたことですかね。当時は不動産投資も株式もFXも並行してやっていたんですけれど、2018年のトルコリラ・ショックで新興国通貨が暴落して、一瞬にして数百万円の損失を出してしまったんです。

それまでFXで1年近くかけて勝ち取ってきた利益が本当に一瞬でなくなってしまったのはショックで、どんなに価値を積み上げていても失うときは一瞬だと実感しましたね。「勝ち」を狙うのであれば、最強を目指すことになると思います。「最強」って勝ち続けた結果得られる称号で、すなわちずっと戦い続けなければならない、ということなんです。

普通はどこかで負けてしまいますよね。だとしたら、最強を目指す戦いって大変苦しいと思いませんか。なのでわたしは戦わないでも済む「無敵」の投資スタイルを目指そうと考えたんです。

不動産投資は「レバレッジの掛けられる定期預金」

——村野さんの不動産投資の中心である「東京中古ワンルーム」についてはどうお考えですか。

世の中にあふれる投資方法から相対的にみて、現在一番手堅く、利回りが良い商品が東京中古ワンルームだと思っています。日本に住んでいるのであれば、これ以上手堅い投資はないと思います。

わたしにとって不動産投資は「レバレッジが掛けられる定期預金」のようなものなんで

すよ。定期預金のようにある程度決まった利益が見込める手堅さをベースとして、借入をすることでレバレッジかけて利回りを上げていくという考え方です。株などのように短期間で一気に儲かることはありませんが、少しずつ安定して資産を増やしていくことができます。

——なるほど。ただ不動産を購入するとなると、どうしても借入の多さに躊躇してしまう方も多いです。

不動産は「堅い」投資だと思っているので、考え方としては定期預金や債券に似ているように感じています。定期預金や債券はより多く資金を投入したほうが、多くの利息をもらえるのと同じで、不動産もたくさん所有していれば多くの家賃が入ってきます。

しかし、わたしたち個人の力では投資に回せるお金に限界があります。そこで、借入をするのです。借入をすることによって金利がかかる分、手元に残る額は減ってしまいますが、それでも借りて運用した収入のほうが多ければ利益は多くなります。

借金にも2種類あって、借りたお金をそのまま消費してしまうこと、これは悪い借金です。しかし、借りたお金を投資して別のものに変えているのであれば、借金が増えた分はバランスシート上でみると資産にもなっているんですよね。結局は借金の使い方をどうするか次第だと思います。

「20年後の経済的自由」なら普通のサラリーマンでもできる

——ではわたしたちのような普通のサラリーマンでも村野さんのように経済的な自由を得ることは可能なのでしょうか。

1年後に実現したい、というのは難しいと思います。しかし、20年後であれば、例えば安定した物件からの家賃収入のような、勝ち負け以外の場所で時間をかけて資産を積み上げていく「本当の投資」を理解し、行動することができれば必ず再現はできます。そもそもわたし自身、難しいことは何もしていないんですよ。17年間こつこつと買い続けているだけです。本来、普通のサラリーマンでも1年に1戸ずつであれば買えないわけは無いと思うのです。

わたしが実践している不動産投資について、「価格が昔と比較して高くなっており、今からでは厳しいのではないか」という意見もありますが、不動産の中だけで比較しても分からないと思っています。例えば金と不動産の価格を比較してどうかと考えたときに、今、金の価格は高騰していますから、以前と比べて不動産よりも金のほうが価格が上昇しているんですよね。もし金が常に価値が変わらないものだと仮定するなら、不動産は昔と比較して下がっていると言えるのではないでしょうか。つまり、今は不動産が高いですよね、と言われても、どう比較するかによって見方は変わるということで、昔と比較して高いか安いかだけを基準に考えてはいけないと思っています。

それを踏まえて、投資をするかしないかはリターンがどうかで判断すればよいと思っています。不動産でいえば、毎年150万円入ってくるものを3000万円で買うことができます。これに勝る投資先、より満足する投資先があれば、そちらに投資すればよいだけです。

投資は幸せになるためのものなので、納得感が一番大事だと考えていて、利回り5％で納得できるのであれば、その価格は正しいのです。例えば、ドラッグストアで商品が他と比べて半額だからって買うわけではなく、必要だから買うのではないでしょうか。必要なものがその値段で買えて納得できるから買うのであって、投資も同じで、投資したものの機能が金額と比べてよいと思えるのであれば、投資すればよいだけなんです。

経済危機でも〝コツコツ投資〟が成功への近道

――コロナ禍などで状況が変化する中で、わたしたちが資産を築くにはどうすればよいのでしょうか。

いろいろな考え方はありますが、まずは「投機」と「投資」を分けて理解することが大事だと思います。投機はその時々の経済状況による変動をみて、その都度勝負すること、投資は資産として購入し、積み上げていくものです。

結局、コロナで影響を受けているのは、タイミングを見計らって行う「投機」なんですよね。わたしは購入した不動産を売却することは考えておらず、投機ではなく「投資」として行っています。投資としての不動産は今回のコロナ禍のような経済危機があろうがなかろうが、売却するわけではないため物件価格は気にしませんし、家賃自体には変動はほとんどありませんので、基本的に影響を受けません。

わたしは、不動産は国債などの債券と同じようなものだと考えています。例えば、ある10年債を100の値段で買うとします。もちろん、購入後の10年間で、100だった価格が95に下がったり、逆に105に上がったりして価格は変わります。

しかし、購入時に10年後いくら受け取れるかはあらかじめ決まっているので、満期となったとき、購入した価格100と、利息分は確実に受け取れるのです。わたしは物件を売る気がないので、「満期が100年後ぐらいの『わたしがいない世界』に設定された債券」だと思って購入しています。そのため、物件がいくらで、家賃の利回りが何％になるかを計算した上で購入すれば、あとはその通りの利益を受け取るだけなのです。

売却を前提で購入するようなキャピタル・ゲインを狙う方は、その利ざやで利益を上げる形になります。タイミングを見計らい安く購入し、高く売る。つまりタイミングを見る「投機」なんですね。なので「値段が下がるかもしれない」「今が買い時だ」などと考える方にとってはコロナによる影響はあると思いますが、わたしは「投資」としてやっているので、本質的には影響はなくて、物件の値段が下がると「利回りの良い商品が出てくるから良かった」くらいの気持ちです。

――確かに、村野さんがおっしゃる意味での「投資」であれば経済危機に左右されず安定した利益を見込めます。

その通りです。もしアフターコロナで不動産の価格が下がったとしても、わたしは10戸一気に買うというようなことはしません。例年と同様、今年も数戸を購入しようと考えています。要するに、コロナがあろうがなかろうが、やることは普段と変わらないということです。市場によって左右されるということがない、というのが結局は「本当の投資」だと思います。

株でも不動産でも、価格が上がるか下がるかは誰にも分かりません。分からないものに悩むよりも、どちらでも良いような状態を作ったほうが合理的だと思うのです。わたしはあくまでも、入り口のタイミングで儲けを狙うのではなく、その先の運用を通して時間をかけて利益を見込むことに注力しています。

――なるほど。ではコロナ禍のような経済環境の変化があろうがなかろうが、今後も淡々と物件を買い続けるということですか。

そうですね。「東京中古ワンルーム」投資以上に手堅く、利回りが良い商品がない限りは、今後もこつこつと買い増ししていきます。例えば、もし定期預金の金利が10％になるなど、他にもっと良い商品があれば、今まで購入した不動産はそのまま所有しつつ、そちらにシフトしていくと思います。

わたしは不動産投資一本で勝負するいわゆる「不動産投資のプロ」ではないので、一投資家としてその時々に最も良いものを選ぶことができるのが強みだと思っています。

「負けない投資」で明日の幸せをつかもう！

――ありがとうございます。最後に、読者の方にメッセージをお願いします。

「普通の人」こそ、投資をやってみてほしいです。本格的に投資をしない理由として、「投資は怖い」「投資は大きなリスクがある」と考える方もいると思います。投資に関する情報をみていると、わたしにとっては「投資と投機が混在している」と思うものが本当に多いので、そうした影響があるのでしょう。それもそのはずで、わたしが考える「本当の投

すよね。「投資」を実践している投資家はわざわざ世の中に情報を出すインセンティブは働かないんで

その結果として、「勝つための投資＝投機」ばかりが表に出ることになります。リスクを取らないとリターンがないという話や、実際に損をしたりするのは「投資」ではなく「投機」です。本当の投資はリスクを減らすように、損をしないように、といった負けないために行うもので、負けないために最も大切なことが継続することです。継続するためには、一喜一憂したり、苦しい経験を重ねたりのではなく、嬉しい、楽しい、幸せ、と感じられる方法であることが重要です。

これから本格的に投資を始める方には、「負けない」ということがどういうことなのかを意識して、本当の投資をやってもらいたいと思っています。投資って今の幸せを得るためにやるものではなく、明日が幸せになるためにやるものなんです。明日という日が今日よりも幸せになるように過ごしてほしいと思います。

おわりに

東京の中古ワンルームマンションをご紹介して30年以上が経ちますが、ここ数年、親子でオーナーになられる方が増えています。20年以上前にマンションをご購入されて、資産形成に成功されているご両親が、自分と同じように息子、娘に不動産投資をすすめて、親子でマンションオーナーになられているのです。

その背景にあるのは、東京・中古・ワンルームによる資産形成の成功体験だけではありません。「もっと早くはじめていればよかった」「早くに始めていればもっと資産を拡大できた」という強い想いが、若いお子様に不動産投資を強く勧める要因となっているのです。

相続を除いて、わたしの会社の最年少のオーナー様となったのが、オーナーDさんのお子さんで、現在20歳の大学生です。

Dさんは、お子さんに国民年金の支払い通知が届いたことを機に、一緒にお金について考える時間を作りました。そして、貯金を切り崩して払うのではなく、家賃収入という収入の柱を作って、そこから払うことを提案し、お子さんにわたしの書籍を渡したのです。

とはいえ、大学生がローンを組んで1000万円単位のマンションを購入することはさすがにできません。そこで、これまでの貯金に加えて、両親から家族間で貸し付けをする形をとりました。お子さんは自身名義のマンションから得られる家賃収入で、両親への返済と自身の国民年金の支払いを全て賄い、さらに手元に残るお金を自由に使うことができます。

毎月安定して家賃収入が入ってくるからこそ、大切な国民年金の支払い原資にも充てられます。そして、支払いのためだけにアルバイトを無理にすることもなく、部活動に専念することができています。

これが可能なのも、東京の中古ワンルームが安定した賃貸需要を見込めるからです。

たくさんの次世代オーナー誕生の原動力になっているのは、ほとんどの親世代が口にする「もっと早く不動産投資を始めておけばよかった」という想いです。

不動産投資の魅力はなんといっても入居者から得られる家賃収入を使って、ローンを返済していくことができる点です。入居者がきちんと住んでくれさえすれば、購入して1年たてば、元本は家賃収入で1年分返済されます。時間が資産形成の味方になってくれるからこそ一日でもはやく投資をスタートしたほうが有利なのです。

しかも、都内の好立地のマンションであれば、空室リスクも少なく、長期にわたって安定した収益をあげることができます。

資産形成を考える上で、利回りばかり気にされる方がいますが、それ以上に必要なことは、いかに早く投資をスタートするかです。時間の制限がなければ、時間をかけてじっくり検討していくこともできますが、残念ながら時間は有限です。通常は「定年」を期限において資産形成をすることが一般的です。資産形成の期限までの時間が短いほど、資産形成の難度も高くなります。

できるだけ早く東京の中古ワンルームマンションに投資を行い、繰上げ返済をコツコツと続ける。

シンプルですが、これが最も堅実に資産形成を進める確かな手法だと確信しています。

不動産投資から得られる家賃収入は、あなたに人生の選択肢を増やしてくれます。

ぜひ本書をきっかけにして、あなたが望む自由な人生を手に入れる第一歩を踏み出してみてはいかがでしょうか。10年後に振り返った時に、本書との出会いがターニングポイントであったと思っていただけるのであれば、これほど嬉しいことはありません。